10.958
8/2001

LA PETITE MAISON
DANS LA PRAIRIE

UN ENFANT DE LA TERRE

TOME 4

D1374043

Castor Poche
Collection animée par
François Faucher, Hélène Wadowski,
Martine Lang, et Cécile Fourquier

Titre original :

FARMER BOY

Une production de l'Atelier du Père Castor

Éditeur original : HARPER & ROW, Publishers
Text copyright 1933 by Laura Ingalls Wilder
Copyright renewed 1961 by Roger L. MacBride
Pictures copyright 1953 by Garth Williams

© 1978, Flammarion
pour la traduction française.
© 1986, Castor Poche Flammarion
pour la présente édition.

LAURA INGALLS WILDER

LA PETITE MAISON
DANS LA PRAIRIE

UN ENFANT DE LA TERRE
TOME 4

Traduit de l'anglais (États-Unis) par
Marie-Agnès Jemmaire
et Hélène Seyres

Illustrations intérieures de
GARTH WILLIAMS

Castor Poche Flammarion

BEACONSFIELD
BIBLIOTHÈQUE • LIBRARY
303 Boul. Beaconsfield Blvd , Beaconsfield. P Q
H9W 4A7

Laura Ingalls Wilder

L'auteur est née en 1867 aux États-Unis, dans une maison en rondins du Wisconsin. Elle connut pendant toute son enfance les pérégrinations propres aux familles de pionniers. D'abord installée dans les régions boisées du Wisconsin, la famille Ingalls voyagera en chariot bâché en direction de l'Ouest à travers les États du Wisconsin, du Kansas, du Minnesota et du Dakota.

Dans les années 1930, Laura Ingalls Wilder se mit à raconter son enfance et sa jeunesse. Savait-elle alors qu'elle écrivait l'un de ces grands livres dans lesquels, génération après génération, les êtres les plus divers peuvent trouver matière à enchantement et à réflexion ? Très populaire aux États-Unis depuis sa publication en 1935, cette série en huit volumes a été adoptée par la télévision américaine et déjà diffusée plusieurs fois en France.

Du même auteur, en Castor Poche :
La petite maison dans la prairie, tome 1, n°120 ;
La petite maison dans la prairie, tome 2, n°125 ;
La petite maison dans la prairie, tome 3, n°134 ;
La petite maison dans la prairie, tome 5, n°153

Hélène Seyrès et
Marie-Agnès Jemmaire

Les traductrices:
Au XIXe siècle et au début du XXe, plusieurs membres de la famille d'Hélène Seyrès ont voyagé et longtemps vécu en Angleterre ou dans les trois Amériques. Cela lui a donné l'envie de connaître ces pays, en particulier l'Ouest américain et l'a incitée à entreprendre des études d'anglais à Paris. Elle traduit des romansd, des livres d'art ou d'histoire pour les adultes, des albums pour les jeunes lecteurs et des romans pour adolescents. De tous les personnages qu'elle a rencontrés, c'est toutefois ceux de Laura Ingalls, de sa famille et d'aLmanzo Wilder, les héros de La petite maison dans la prairie qui lui sont le plus chers,

car elle les a suivis dans trois des volumes de cette série.

Marie-Agnès Jemmaire est née dans les Vosges où elle demeure durant toutes son enfance et son adolescence. Passionnée par les langues, elle part plusieurs années à l'étranger poursuivre ses études. De retour en France, elle travaille à Paris dans une compagnie aérienne sud-américaine. Elle manie alors quatre langues parfaitement.

Garth Williams

L'illustrateur de l'intérieur a réalisé ces dessins pour l'édition américaine. Remarquables par leur exactitude et leur pouvoir d'évocation, ils lui ont demandé dix ans de recherche et de travail pour en parfaire la réalisation.

Claude Cachin

L'illustrateur de la couverture est né en 1964 à Pau. Après une maîtrise d'Arts plastique, il a obtenu un diplôme de graphiste aux Beaux-Arts de Bordeaux, ville où il habite et travaille aujourd'hui.

CHAPITRE 1

JOURS DE CLASSE

En ce mois de janvier d'il y a soixante-sept ans [1], au nord de l'Etat de New York, partout la neige était tombée en couche épaisse. Elle pesait sur les grosses branches dénudées des chênes, des érables et des hêtres; elle ployait les vertes ramilles des sapins et des cèdres, les enterrant à demi sous les congères; elle couvrait de vagues blanches les champs et les clôtures de pierre.

1. Il s'agit de l'année 1866, l'ouvrage datant de 1933.

Un petit garçon, accompagné de son frère aîné Royal et de ses deux sœurs, Eliza Jane et Alice, avançait péniblement sur le long chemin qui, à travers bois, menait à l'école. Royal, Eliza Jane et Alice étaient âgés, respectivement, de treize, douze et dix ans. Almanzo, qui était le plus jeune, n'avait pas encore neuf ans, aussi était-ce son premier jour de classe.

Il lui fallait marcher vite pour garder la cadence de ses frère et sœurs et, de plus, on lui avait donné à porter le pot de camp contenant le déjeuner.

— Royal devrait bien le porter, remarqua Almanzo. Il est plus grand qu' moi.

Royal, en tête, marchait à grandes enjambées, l'air immense et viril avec ses bottes. Eliza Jane objecta :

— Non, Manzo. Tu es le plus petit, donc, c'est à ton tour désormais de le porter.

Eliza Jane était une demoiselle Jordonne. Elle savait toujours ce qu'il y avait de mieux à faire, et c'est à Almanzo et Alice qu'elle en confiait la charge.

Tous deux pressaient le pas derrière Royal et Eliza Jane dans les traces profondes qu'avaient creusées les patins des traîneaux. La neige poudreuse restait amoncelée, très haut, de part et d'autre. Le chemin dévalait une longue pente avant de franchir un petit pont, puis poursuivait sa course, sur près de deux kilomètres, jusqu'à l'école, à travers les bois glacés.

Le froid mordant picotait les paupières d'Almanzo, lui gelait le nez, mais il se sentait bien au chaud dans ses bons habits de laine. Tous avaient été faits avec la laine des moutons de son père. Seuls ses sous-vêtements étaient de couleur blanc crème; pour les autres, Mère avait teint la laine.

Le fil destiné à la confection de son manteau et de son pantalon avait été teint au brou de noix. Mère l'avait ensuite tissé. Après avoir trempé dans l'eau l'étoffe ainsi obtenue, elle l'avait fait rétrécir pour la transformer en un beau drap brun, épais et lourd. Ni le vent, ni le froid, ni même la pluie battante ne pouvaient transpercer ce drap de pure laine que fabriquait Mère.

Pour la chemise d'Almanzo, elle avait teint en rouge cerise une fine laine avec laquelle elle avait réalisé un joli tissu, mince et souple. Elle était légère, chaude et d'un rouge magnifique.

Le pantalon d'Almanzo, de couleur marron, s'attachait à sa chemise rouge par une rangée de boutons de cuivre étincelants, cousus au niveau de la ceinture. Le col de sa chemise, de même que son long manteau de beau drap brun se boutonnaient, bien chaudement, jusqu'au menton. Mère avait taillé sa casquette dans ce même drap brun, avec de confortables oreillettes qui se nouaient sous le menton. Une cordelière passée dans les manches de son manteau et derrière son cou reliait ses moufles rouges, de manière qu'il ne pût les perdre.

Il portait une paire de chaussettes remontées bien haut sur les jambes de son caleçon long, une autre par-dessus son pantalon brun et, aux pieds, des mocassins tout à fait identiques à ceux que portaient les Indiens.

En hiver, lorsqu'elles sortaient, les filles se couvraient le visage d'un lourd voile qu'elles nouaient derrière la nuque. Almanzo, lui, était un garçon, aussi laissait-il sa figure exposée à l'air glacé. Son nez était à présent plus rouge qu'une cerise et ses joues faisaient penser à deux pommes d'api. Après avoir parcouru près de trois kilomètres, il ne fut pas mécontent d'apercevoir la bâtisse de l'école.

Elle se dressait, solitaire, au cœur des bois gelés, au pied de la colline de Hardscrabble. De la fumée s'élevait de la cheminée. Dans les congères, le maître avait dégagé à la pelle un passage jusqu'à la porte, et cinq grands garçons se bousculaient, là, dans la neige profonde.

Quand il les vit, Almanzo fut soudain pris de peur. Royal feignit l'indifférence, mais il n'en était rien. Il s'agissait des voyous du lotissement de Hardscrabble, et tout le monde les craignait.

Ils s'amusaient à fracasser les luges des petits garçons; parfois, ils se saisissaient de l'un d'eux et le balançaient par les jambes pour le lâcher ensuite, tête la première, dans la neige épaisse; il leur arrivait même de contraindre deux garçonnets, qui n'en avaient nulle envie, à se battre, et ceci malgré leurs supplications.

Ils avaient tous seize ou dix-sept ans et ne venaient en classe que vers la mi-janvier, dans le seul but de rosser le maître et de faire fermer l'école. Ils se glorifiaient de ce que, dans cette école, aucun maître ne parvenait à terminer la période scolaire d'hiver et, en vérité, nul n'y était encore parvenu.

Cette année-là, le maître était un jeune homme pâle et mince. Il s'appelait M. Coarse. Il était gentil et patient, il ne fouettait jamais les petits garçons lorsqu'ils oubliaient l'orthographe d'un mot. Almanzo se sentait mal à l'aise à l'idée du traitement que ces vauriens allaient faire subir à M. Coarse; celui-ci n'était pas assez fort pour lutter contre eux.

Il se fit un silence dans la salle de classe et chacun put entendre le tapage que faisaient les grands, à l'extérieur. Les autres élèves, groupés autour du gros poêle qui se dressait au centre de la pièce, se parlaient à voix basse. M. Coarse, assis à son bureau, sa maigre joue appuyée sur sa main droite aux doigts fuselés, lisait un livre.

Il leva les yeux et dit gentiment à ses élèves :

— Bonjour.

Royal, Eliza Jane et Alice le saluèrent poliment, mais Almanzo ne dit rien. Il se tenait debout près du bureau, dévisageant M. Coarse. Ce dernier lui sourit et, s'adressant à lui, demanda :

— Sais-tu que je rentrerai avec toi ce soir ?

Almanzo, trop troublé, ne sut que répondre.

— Mais oui, c'est le tour de ton père, précisa M. Coarse.

Chaque famille de la contrée accueillait le maître pendant deux semaines. Il allait ainsi de ferme en ferme et, après avoir séjourné quinze jours dans chacune d'elles, il fermait l'école jusqu'à la rentrée suivante.

Tout en disant ces mots, M. Coarse donna un coup de règle sur le bureau ; il était l'heure de commencer la classe. Tous les enfants gagnèrent leurs places. Séparés par le gros poêle qui trônait au milieu de la pièce et la caisse à bois, filles et garçons s'assirent, les unes à gauche, les autres à droite. Les grands occupaient les pupitres situés au fond de la classe, les moyens étaient assis au milieu et les petits, devant. Les sièges ayant tous la même hauteur, les grands garçons pouvaient à peine rentrer leurs genoux sous leur casier, tandis que les jambes des petits pendaient dans le vide, sans que leurs pieds touchent le sol.

Almanzo et Miles Lewis, seuls élèves du Cours Préparatoire, étaient assis au tout premier rang. Il leur fallait, faute de pupitre, tenir leur livre de lecture à bout de bras.

M. Coarse se leva pour aller frapper à la fenêtre. Les grands de Hardscrabble, ricanant et s'esclaffant bruyamment, pénétrèrent dans le couloir en faisant claquer leurs souliers. Ils ouvrirent la porte brutalement et entrèrent dans la pièce, l'air insolent. Big Bill Ritchie était leur chef. Il était presque aussi grand que le père

d'Almanzo et ses poings étaient aussi gros que les siens. Il secoua la neige collée sous ses semelles en frappant du pied sur le plancher, puis il se dirigea vers l'un des sièges du fond de la classe, à pas lourds et bruyants. Les quatre autres, à son exemple, firent tout le vacarme qu'ils purent.

M. Coarse ne dit mot.

Il était interdit de chuchoter ou de s'agiter en classe. Tous devaient rester parfaitement silencieux et garder les yeux fixés sur leur leçon. Almanzo et Miles, tenant leur livre à deux mains à hauteur des yeux, s'efforçaient de ne point laisser baller leurs jambes qui pendaient sur le rebord du banc et finissaient par être tout endolories. Parfois, avant même qu'Almanzo pût se contrôler, il donnait un brusque coup de pied dans le vide. Il essayait alors de prétendre qu'il n'était rien arrivé, mais il sentait le regard de M. Coarse posé sur lui.

Au fond de la classe, les grands se parlaient à voix basse, se poussaient du coude, ouvraient et refermaient leurs livres avec bruit.

— Un peu moins de chahut, s'il vous plaît, ordonna M. Coarse.

Ils se tinrent tranquilles une minute puis recommencèrent. Ils voulaient que M. Coarse essayât de les punir, c'est alors que tous les cinq se jetteraient sur lui.

Ce fut enfin le tour des petits. Almanzo put se laisser glisser du banc pour aller avec Miles jusqu'au bureau du maître. M. Coarse prit le livre de lecture d'Almanzo et leur donna à étudier l'orthographe de quelques mots.

Lorsqu'il était au Cours Préparatoire, Royal était souvent rentré à la maison, le soir, la main tout ankylosée et enflée — le maître en avait frappé la paume avec sa règle, parce qu'il n'avait pas su sa leçon. Père le menaçait alors :

— Royal, si le maître a encore à te frapper, je te donnerai une correction dont tu te souviendras.

M. Coarse, quant à lui, ne donnait jamais de coups de règle sur la main d'un petit garçon. Quand Almanzo ignorait comment s'écrivait un mot, il se contentait de dire :

— Tu resteras en classe, pendant la récréation, pour l'apprendre.

A l'heure de la récréation, les filles sortaient en premier. Elles endossaient leurs pèlerines, relevaient leurs capuchons sur la tête et sortaient en silence. Quinze minutes plus tard, M. Coarse frappait à la vitre. Elles rentraient, suspendaient leurs manteaux dans l'entrée puis reprenaient leurs livres. Les garçons pouvaient alors sortir pendant un quart d'heure.

Ils s'élançaient dans le froid en poussant des cris de joie. Les premiers sortis accueillaient les autres à coups de boules de neige. Tous ceux qui possédaient une luge grimpaient à quatre pattes la colline de Hardscrabble; arrivés au sommet, ils se jetaient à plat ventre sur leurs bolides, puis dévalaient à toute allure la longue pente abrupte. Ils culbutaient dans la neige, s'en frictionnaient l'un l'autre le visage, ils couraient, se prenaient corps à corps, se bombardaient de boules, tout en criant à tue-tête.

Quand d'aventure Almanzo était gardé en retenue, il se sentait tout honteux de devoir rester à l'intérieur avec les filles.

A midi, il était permis de se déplacer dans la classe et de parler sans faire de bruit. Eliza Jane ouvrit sur son pupitre le récipient contenant leur déjeuner. Il y avait du pain beurré, de la saucisse, des beignets soufflés, des pommes et quatre délicieux chaussons à la croûte renflée, garnis de tranches de pomme fondantes et de jus caramélisé.

Après qu'il eut avalé la dernière miette de son chausson et léché ses doigts, Almanzo but, à la louche, un peu d'eau du seau placé à cet effet sur un banc, à l'angle de la pièce. Il mit ensuite sa casquette, enfila son manteau et ses moufles et sortit jouer.

Le soleil était presque au zénith. La neige scintillait, aveuglante, et les débardeurs descendaient du haut de la colline de Hardscrabble. Les hommes, perchés sur les traîneaux où s'empilaient les rondins, faisaient claquer leurs fouets et criaient des ordres aux chevaux qui, à chaque pas, faisaient tinter leurs chapelets de clochettes.

A leur passage, tous les garçons les acclamèrent et se mirent à courir pour attacher leurs luges aux patins des traîneaux. Ceux qui n'avaient pas apporté la leur escaladèrent les chargements de bois pour s'y installer à califourchon.

Ils passèrent joyeusement devant l'école et descendirent au bas du chemin. Les boules de neige fusaient de toutes parts. Juchés sur les tas de bois, les garçons se bagarraient et, tels des jouteurs, se faisaient tomber dans les amoncellements de neige. Almanzo et Miles, assis sur la luge de cette dernière, filèrent au bas de la pente en poussant des cris de joie.

Il leur sembla qu'une minute à peine s'était écoulée depuis qu'ils avaient quitté l'école, mais le retour leur parut beaucoup plus long. Ils marchèrent tout d'abord, puis se mirent à trotter pour finir au pas de course, tout essoufflés. Ils craignaient d'être en retard et se rendirent compte qu'ils l'étaient en effet. Sans nul doute, M. Coarse les fouetterait tous.

L'école se dressait là, silencieuse. Ils n'avaient aucune envie de rentrer, et pourtant, il le fallait. Sans bruit, ils se glissèrent dans la pièce.

M. Coarse était assis à son bureau; les filles, déjà à leurs places, faisaient mine d'étudier. A droite, du côté des garçons, tous les sièges étaient vides.

Dans le terrible silence, Almanzo regagna son banc à pas de loup. Il prit son livre de lecture et s'efforça de respirer moins fort. M. Coarse ne dit mot.

Peu importait à Bill Ritchie et son équipe qui retournèrent à leurs places dans le plus grand tapage. M. Coarse attendit qu'ils fussent calmés pour dire :

— Je ne tiendrai pas compte de votre retard pour cette fois, mais que cela ne se reproduise plus.

Chacun savait fort bien que les grands récidiveraient. M. Coarse n'avait aucun moyen de les punir, car ils pouvaient le rouer de coups, et c'était bien là leur intention.

CHAPITRE 2

SOIR D'HIVER

Dans l'air figé, les brindilles éclataient sous la morsure du froid. La neige renvoyait une lumière blafarde, tandis que les ombres se rassemblaient dans les bois. Déjà la nuit tombait lorsque Almanzo gravit péniblement la dernière longue montée qui menait à la ferme.

Il hâtait le pas derrière Royal qui, lui-même, hâtait le pas derrière M. Coarse. Alice avançait à vive allure à la suite d'Eliza Jane, dans le sillon parallèle laissé par le passage des traîneaux. Ils allaient, sans mot dire, tout en se protégeant la bouche du froid.

Un dôme de neige masquait la toiture de la haute maison peinte en rouge. Des chandelles de glace frangeaient tous les avant-toits. Le devant de la maison était plongé dans l'obscurité, mais des traces partaient en direction des grandes dépendances, et un chemin avait été déblayé aux abords de la petite porte. La lumière des bougies illuminait les fenêtres de la cuisine.

Almanzo n'entra pas dans le corps de logis. Il tendit à Alice le récipient du déjeuner et s'en fut aux écuries, en compagnie de Royal.

Trois longs bâtiments énormes bordaient trois des côtés de la cour carrée. Pris dans leur ensemble, ils constituaient les plus belles dépendances de toute la région.

Almanzo pénétra tout d'abord dans l'Ecurie, longue de trente mètres, qui faisait face à la maison. Au centre s'alignaient les stalles des chevaux; à l'une des extrémités se trouvait l'étable des veaux et au-delà, le poulailler clos; l'autre côté était occupé par la remise à cabriolets. Celle-ci était si vaste que l'on pouvait y faire entrer de front deux bogheis et le traîneau; il restait, en outre, tout l'espace nécessaire pour dételer aisément les chevaux qui passaient, ainsi, directement de la remise à leurs stalles, sans avoir à ressortir dans le froid.

La Grande Etable partait de l'extrémité ouest de l'Ecurie et longeait le côté ouest de la cour.

En son milieu s'étendait la Grande Aire; de larges portes, donnant sur les prés, s'ouvraient sur elle, pour permettre l'entrée des charrettes chargées de foin. Il y avait, d'un côté, l'énorme grenier à claire-voie, de quinze mètres de long et de six mètres de large, où s'entassait le fourrage jusqu'à la haute pointe du toit.

Par-delà la Grande Aire, se trouvait une rangée de quatorze boxes pour les vaches et les bœufs. Il y avait, plus loin, le hangar pour les machines, puis, tout au fond, la resserre à outils. A l'angle, une embrasure donnait accès à l'Etable Sud.

Là, se tenaient le grenier à céréales, la loge à porcs, les cases des veaux ainsi que l'Aire de l'Etable Sud où l'on battait les récoltes. Elle était plus grande encore que l'Aire de la Grande Etable et c'est là que se dressait la vanneuse.

Il y avait, au-delà de l'aire de battage, une bouverie pour le jeune bétail et, plus loin encore, le parc à moutons. C'était là toute l'Etable Sud.

Une palissade, de près de quatre mètres de haut, clôturait la cour à l'est, si bien que celle-ci, cernée par les trois énormes bâtiments et le palis, se trouvait protégée de toutes parts. Ni les vents mugissants, ni la neige qui s'acharnait contre ces remparts ne pouvaient y pénétrer. Si tempétueux que fût l'hiver, il n'y avait jamais guère plus de cinquante centimètres de neige dans cette cour qui se trouvait bien abritée.

Quand il se rendait dans ces grandes dépendances, Almanzo passait toujours par la petite porte de l'Ecurie. Il aimait les chevaux. La robe lisse et propre, d'un brun moiré, la crinière et la queue longues et noires, ils se tenaient debout dans leurs stalles spacieuses. Les sages et paisibles chevaux de labour mâchaient placidement leur avoine. Deux jeunes chevaux, âgés de trois ans, rapprochèrent leur nez entre les barres, comme pour se murmurer de tendres confidences, puis promenèrent leurs naseaux humides sur le cou l'un de l'autre ; l'un d'eux fit mine de mordre et, par jeu, ils se mirent à hennir, à tournoyer, à décocher des ruades. Les plus vieux détournèrent la tête, jetant sur eux le regard indulgent d'une grand-mère, tandis que les poulains, sur leurs pattes chancelantes, couraient çà et là, tout excités, les yeux écarquillés d'étonnement.

Tous connaissaient Almanzo. A sa vue, leurs oreilles se dressaient, leurs yeux rayonnaient de douceur. Les « trois ans » s'avancèrent, empressés, pour passer leur tête au-dehors et le caresser de leurs naseaux. Leur nez, hérissé de quelques poils raides, avait la douceur du velours, et sur leur front, les fins poils courts étaient lisses et soyeux. Leur crinière noire retombait en frange épaisse sur leur encolure rouée. Là, au chaud, sous la crinière, vous pouviez promener votre main le long de ces encolures fermes et cambrées.

Almanzo, cependant, osait à peine le faire. Il lui était interdit de toucher les jolis chevaux de trois ans. Il n'avait pas le droit de pénétrer dans leurs stalles, pas même pour les nettoyer. Il n'avait que huit ans et Père ne lui permettait pas de s'occuper d'eux, ni des poulains. Père ne lui faisait encore pas confiance pour lui laisser le soin de cette tâche, car les poulains et les jeunes chevaux non dressés peuvent très facilement devenir vicieux.

Un enfant sans expérience risquerait d'effrayer un jeune cheval, de le taquiner ou même de le frapper, et c'en serait la fin. Il apprendrait à mordre, à lancer des ruades, à détester les gens, et ce ne serait jamais un bon cheval.

Almanzo, pour sa part, était trop raisonnable pour se conduire de la sorte. Pour rien au monde il ne ferait peur ou ne ferait de mal à l'un de ces magnifiques poulains. Il serait toujours calme, doux et patient. Jamais il ne ferait sursauter un poulain, jamais il ne crierait, non, pas même s'il venait à lui marcher sur le pied; mais Père ne pourrait pas le croire.

Aussi, Almanzo ne pouvait-il que couver des yeux ces « trois ans » pleins de fougue. Il ne faisait que toucher du doigt leur nez velouté et s'en écartait rapidement pour aller prendre sa blouse de travail qu'il enfilait par-dessus ses bons habits de classe.

Père avait déjà terminé d'abreuver toutes les bêtes et commençait à leur donner leur ration de céréales. Royal et Almanzo, munis de fourches, allèrent de case en case, ôtant la paille souillée au sol, la remplaçant par le foin neuf qu'ils étalèrent, afin de faire des litières bien propres pour les vaches, les bœufs, les veaux et les moutons.

Ils n'avaient pas besoin de faire le lit des porcs, car ceux-ci le font eux-mêmes et le tiennent bien net.

Dans l'Etable Sud, les deux petits veaux, qui appartenaient en propre à Almanzo, partageaient le même box. A son arrivée, ils se bousculèrent jusqu'aux barres. Tous deux étaient roux, l'un avait une tache blanche sur le front, aussi Almanzo l'avait-il baptisé Star. Quant à l'autre, dont la robe était partout d'un roux flamboyant, il l'avait appelé Bright.

Star et Bright n'avaient pas encore atteint l'âge d'un an. Leurs petites cornes, sous le poil doux, près des oreilles, commençaient seulement à durcir. Du bout des doigts, Almanzo gratta tout autour de leurs cornes naissantes, sachant que les veaux aimaient ce chatouillement. Ils poussèrent leur mufle humide et plat au travers des barres et le léchèrent de leur langue râpeuse. Dans la mangeoire des vaches, Almanzo prit deux carottes qu'il rompit en petits morceaux et les leur donna, un par un.

Il reprit ensuite sa fourche et grimpa dans les meules de foin entassées juste au-dessus. Il y faisait très sombre. Il n'y avait pour tout éclairage qu'une petite lumière qui filtrait au travers des parois perforées de la lanterne suspendue dans l'allée, en contrebas. Afin d'éviter tout risque d'incendie, Royal et Almanzo avaient ordre de ne point apporter de lanterne dans cette grange à foin, mais le regard s'habituait vite à l'obscurité.

Ils travaillaient vite, jetant le fourrage dans les râteliers, au-dessous. Almanzo entendait distinctement le bruit de mâchoires que faisaient les animaux en broyant leur nourriture. Il faisait chaud dans les meules de foin, de cette chaleur que dégageait le bétail, et le foin sentait bon la poussière de graminées. Il y avait aussi l'odeur des chevaux, des vaches et l'odeur laineuse des moutons; et avant que les garçons eussent fini de remplir les mangeoires, il y eut la bonne odeur du lait qui moussait dans le seau de Père.

Almanzo prit un seau, son petit tabouret personnel et alla s'asseoir dans le box de Blossom, pour la traire. Ses mains n'étaient pas encore assez puissantes pour traire les jeunes

25

vaches laitières, mais il arrivait à traire Blossom et Bossy. C'étaient de bonnes vieilles vaches qui donnaient leur lait facilement. Elles ne lui fouettaient presque jamais les yeux de leur queue cinglante et ne renversaient que très rarement le seau d'un coup de patte arrière.

Bien assis, le seau calé entre ses pieds, il trayait d'une main ferme. Gauche, droite! tchi, tchi!, le lait tombait en jets obliques dans le seau, tandis que les vaches prenaient leur fourrage d'un coup de langue et croquaient leurs carottes.

Les chats de grange faisaient le dos rond contre les bat-flanc tout en ronronnant bruyamment. Mangeant force souris, ils étaient gras et avaient le poil luisant. Ils avaient de grandes oreilles et de longues queues, caractéristiques des bons chats souriciers. Ils faisaient leur ronde, jour et nuit, dans les divers bâtiments, écartant rats et souris des coffres à céréales, et, à l'heure de la traite, ils lapaient de pleines écuelles de lait chaud.

Quand Almanzo eut terminé, il remplit leurs écuelles. Son père entra dans le box de Blossom avec son trépied et son seau et s'assit pour extraire du pis de la vache les dernières gouttes de lait — les plus précieuses; mais Almanzo n'en avait pas laissé une seule. Père pénétra dans le box de Bossy; il en ressortit aussitôt et déclara:

— Tu as bien fait ton travail, mon fils.

Almanzo ne fit que se retourner et pousser du pied la paille qui jonchait le sol devant lui. Il était trop content pour pouvoir dire quoi que ce fût. Maintenant il pouvait traire les vaches tout seul. Père n'avait plus besoin de passer derrière lui. Bientôt, il pourrait traire les laitières les plus difficiles.

Le père d'Almanzo était grand, avec de beaux yeux bleus pétillants, une longue barbe et des cheveux d'un châtain clair. Sa blouse de laine brune, qui couvrait son pantalon d'épais drap brun, s'arrêtait à la hauteur de ses grandes bottes. Il en maintenait les deux pans croisés sur sa large poitrine par un ceinturon bien serré autour de la taille.

Père était un notable. Il possédait une ferme prospère, élevait les meilleurs chevaux de la région, n'avait qu'une parole et, chaque année, déposait de l'argent en banque. Quand Père se rendait en boghei à Malone, tous les gens de la ville s'adressaient à lui avec respect.

Royal les rejoignit, tenant son seau et la lanterne à la main. Il dit à voix basse :

— Père, Big Bill Ritchie est venu à l'école aujourd'hui.

L'éclat de la bougie filtrait par les fentes de la lanterne, projetant sur tout des petites taches d'ombre et de lumière. Almanzo se rendit compte que Père avait l'air grave. Il caressa sa barbe de la main et hocha lentement la tête. Almanzo attendait, anxieux, mais Père, sans rien dire, prit la lanterne et partit faire un dernier tour d'inspection dans les dépendances, afin de s'assurer que tout était au point pour la nuit. Puis, tous trois s'en retournèrent à la maison.

Dehors, le froid était cruel, la nuit, silencieuse et noire ; les étoiles, minuscules étincelles, scintillaient dans le ciel. Almanzo fut tout content de rentrer dans la vaste cuisine où régnait la chaude atmosphère du feu et des chandelles allumées. Il avait très faim.

De l'eau douce, puisée dans le tonneau où l'on recueillait les eaux de pluie, chauffait sur le fourneau. Tour à tour, Père, Royal et Almanzo prirent place devant la cuvette, posée sur le banc, près de la porte. Almanzo s'essuya dans la serviette de toile fixée à l'enrouleur, puis, se dressant face au petit miroir accroché au mur, il fit une raie dans ses cheveux mouillés et les lissa comme il faut avec le peigne.

Ce n'étaient que tourbillons et balancements de crinolines dans la cuisine. Eliza Jane et Alice se hâtaient de dresser la table pour le dîner. L'odeur du jambon que l'on faisait frire donna à Almanzo des tiraillements d'estomac.

Il s'arrêta juste un instant à l'entrée du cellier qui s'étendait tout en longueur. Tout au fond, le dos tourné vers lui, Mère était occupée à filtrer le lait. Des deux côtés, les étagères étaient chargées de bonnes choses à manger. Là, étaient empilés d'énormes fromages à la croûte jaune et de grands pains bruns de sucre d'érable. Il y avait aussi des miches de pain croustillantes, tout juste sorties du four, quatre gros gâteaux et toute une étagère garnie de tartes. L'une d'elles était entamée et il eut bien envie de manger l'alléchant petit morceau de croûte qui s'en détachait — personne ne s'en rendrait compte.

Il n'avait pas fait le moindre geste que déjà Eliza Jane s'écriait :

— Almanzo, ça suffit! Mère!

Mère, sans se retourner, observa :

— Laisse ça, Almanzo. Tu vas te couper l'appétit.

C'était si ridicule que cela le rendit furieux. Comme si une simple petite bouchée pouvait vous couper l'appétit! Il mourait de faim et elles ne lui laisseraient rien manger tant que ce ne serait pas servi à table. Cela ne rimait à rien, mais bien sûr, il ne pouvait pas dire une chose pareille à Mère; il devait lui obéir sans mot dire.

Il tira la langue à Eliza Jane. Elle ne put rien faire — elle avait les mains pleines. Il se réfugia dans la salle à manger.

La lumière de la lampe était éblouissante. Auprès du poêle encastré dans le mur, Père s'entretenait de politique avec M. Coarse. Il était tourné face à la table du dîner, si bien qu'Almanzo n'osa rien y toucher.

Il y avait d'appétissantes tranches de fromage, une assiette de fromage de tête gélatineux; il y avait des pots de confitures, de gelées et de compotes, un grand pichet de lait et un poêlon fumant de haricots blancs gratinés avec, au milieu de la croûte dorée qui déjà retombait, un morceau de lard croustillant.

Almanzo contempla tout et sentit quelque chose se nouer dans son estomac. Il avala sa salive et s'éloigna lentement.

La salle à manger était jolie. Les murs étaient tapissés d'un papier brun chocolat à rayures vertes où s'intercalaient des rangées de minuscules fleurs rouges. Mère avait tissé un tapis assorti au papier. Pour ce faire, elle avait teint en vert et brun chocolat d'étroites bandelettes d'étoffe, avec lesquelles elle avait réalisé un motif de rayures que séparaient de toutes petites raies faites de bandelettes blanches et rouges entrelacées. Les hauts placards d'angle regorgeaient d'objets fascinants : des coquillages, du bois pétrifié, des pierres aux formes curieuses et des livres. Au-dessus du milieu de table était suspendu un mobile représentant un château. Alice l'avait confectionné à l'aide de tiges de blé qu'elle avait assemblées sans trop les serrer; aux coins, elle avait accroché des petits morceaux de toile de couleurs vives. Il oscillait et tremblait au moindre souffle d'air, tandis que, le long des tiges d'or, couraient les reflets de la lampe. Aux yeux d'Almanzo, cependant, le plus joli tableau était la vue de sa mère en train d'apporter l'énorme plat, cerclé d'osier, empli de jambon grésillant.

Mère était une petite femme rebondie et jolie. Elle avait les yeux bleus et les bandeaux de ses cheveux châtains, ramenés en un chignon sur la nuque, ressemblaient aux ailes lisses d'un oiseau. Une rangée de petits boutons rouges, partant du col de fil blanc au tablier blanc qu'elle nouait autour de la taille, ornait le corsage de sa robe de laine couleur bordeaux. Ses larges manches bouffantes pendaient, telles de grosses cloches, de chaque côté du plat bleu. Elle passa le seuil en marquant une petite pause et, d'un mouvement, tira sur sa jupe à crinoline, plus large que l'embrasure de la porte.

L'odeur du jambon était plus qu'Almanzo ne pouvait supporter.

Mère posa le plat sur la table et jeta un dernier coup d'œil, afin de s'assurer que tout était prêt et le couvert correctement mis. Elle ôta son tablier qu'elle suspendit dans la cuisine, puis elle attendit que Père eût terminé ce qu'il disait à M. Coarse. Enfin, elle annonça :

— James, le dîner est prêt.

Un long moment sembla s'écouler avant que tous fussent à leurs places. Père était assis au haut bout de table et Mère lui faisait face. Tous durent ensuite incliner la tête, pendant que Père demandait à Dieu de bénir la nourriture. Puis il y eut un petit silence avant que Père dépliât sa serviette et en rentrât le coin dans le col de sa blouse.

Il commença à remplir les assiettes; tout d'abord celle de M. Coarse, puis celle de Mère, puis celles de Royal, d'Eliza Jane et d'Alice, puis, enfin, il remplit celle d'Almanzo.

— Merci, dit Almanzo.

C'étaient là les seuls mots qu'il avait le droit de prononcer à table. Il fallait que l'on vît les enfants, mais on ne devait pas les entendre. Père, Mère et M. Coarse pouvaient parler, mais Royal, Eliza Jane, Alice et Almanzo ne devaient pas dire un seul mot.

Almanzo savoura les succulents et tendres haricots blancs gratinés; il avala son morceau de petit salé qui fondait comme du beurre dans la bouche; il se délecta de pommes de terre farineuses, cuites à l'eau, arrosées du jus brun qui accompagnait le jambon, qu'il mangea également; il mordit à belles dents dans les tranches de pain moelleuses et largement beurrées, dont il croqua la croûte dorée et croustillante; il dévora un énorme tas de purée de navets blancs et une montagne de potiron jaune, cuit à l'étouffée. Il poussa un soupir de satisfaction, enfonça davantage sa serviette dans le col de sa chemise rouge et se régala de compote de prunes, de confiture de fraises, de gelée de raisin et de pickles [1] d'écorce de pastèque bien épicés. Il se sentait tout à fait rassasié, mais mangea encore, lentement, une large part de tarte à la citrouille.

Il entendit Père dire à M. Coarse :

— Royal m'a raconté que les gars de Hardscrabble étaient venus à l'école aujourd'hui.

— C'est vrai, acquiesça M. Coarse.

— Ils disent, paraît-il, qu'ils veulent vous jeter dehors.

— Je suppose qu'ils vont essayer de le faire, admit M. Coarse.

Père souffla sur le thé dans sa soucoupe, le goûta, le but et s'en servit encore un peu.

— Ils ont déjà chassé deux maîtres, reprit-il. L'année dernière, ils ont si bien frappé Jonas Lane, qu'il en est mort peu après.

— Je sais, confia tristement M. Coarse, Jonas Lane et moi étions en classe ensemble. C'était mon ami.

Père n'ajouta rien.

1. Pickles : condiments végétaux, conservés au vinaigre.

CHAPITRE 3

SOIRÉE D'HIVER

Chaque soir, après le dîner, Almanzo prenait soin de ses mocassins. Il s'asseyait auprès du fourneau de la cuisine et les frottait avec du suif. Il les maintenait assez haut, près de la source de chaleur et, avec la paume de sa main, faisait pénétrer dans le cuir la graisse qui fondait. Tant que le cuir serait bien graissé, ses mocassins resteraient toujours confortables et souples, et garderaient ses pieds bien au sec. Aussi ne cessait-il de frotter que lorsque la peau ne pouvait plus absorber le suif.

Royal prenait place, lui aussi, près du fourneau et cirait ses bottes. Almanzo était encore trop petit pour avoir des bottes; il devait porter des mocassins.

Mère et les filles firent la vaisselle puis balayèrent le cellier et la cuisine pendant que Père, en bas dans la grande cave, coupait des carottes et des pommes de terre en morceaux, pour les donner aux vaches, le lendemain.

Quand il eut terminé, Père remonta les escaliers de la cave avec un grand pichet de cidre doux et un plein panier de pommes. Royal apporta le grilloir et une jatte de grains de maïs. Mère couvrit de cendres, pour la nuit, le feu de braises qui brûlait encore dans la cuisine, et, quand tout le monde eut quitté la pièce, elle souffla les chandelles.

Ils s'installèrent tous, bien au chaud, auprès du grand poêle niché dans le mur de la salle à manger. L'arrière donnait dans le salon, où nul n'allait jamais, excepté les jours où l'on recevait des visites. C'était un beau poêle qui chauffait à la fois la salle à manger et le salon; toute la partie supérieure servait de four et le conduit de cheminée tempérait les chambres situées à l'étage.

Royal ouvrit la petite porte en fonte et, à l'aide du tisonnier, réduisit les bûches carbonisées en un lit de charbons incandescents. Il mit trois poignées de maïs dans le grand grilloir métallique qu'il secoua au-dessus des charbons. Bientôt, un grain éclata, puis un autre, puis trois ou quatre à la fois et, soudain, les centaines de petits grains pointus explosèrent avec rage.

Quand le grand plat fut tout à fait rempli de ces popcorn blonds et soufflés, Alice les arrosa de beurre fondu, les remua et y mit du sel. C'était chaud, croquant et croustillant, déli-

cieusement beurré et salé, et chacun pouvait en manger autant qu'il le désirait.

Mère, assise sur son fauteuil à bascule à haut dossier, tricotait tout en se balançant, tandis que Père ponçait avec soin, au moyen d'un morceau de verre cassé, un nouveau manche de hache. Royal sculptait les minuscules maillons d'une chaîne dans une baguette de sapin bien lisse, et Alice, assise sur son pouf, brodait sa tapisserie. Tous mangeaient des popcorn et des pommes et buvaient du cidre doux, à l'exception d'Eliza Jane qui lisait à voix haute les nouvelles de l'hebdomadaire de New York.

Almanzo, une pomme à la main, un bol de popcorn à ses côtés et, à ses pieds, son bolet de cidre posé sur l'âtre, était assis sur un tabouret tout près du poêle. Il croqua la pomme juteuse, mangea quelques popcorn et but ensuite une gorgée de cidre. Il se prit à penser au popcorn.

Le popcorn est purement américain. Hormis les Indiens, personne n'en avait jamais eu avant l'arrivée des « Pères Fondateurs »[1] en Amérique Lors de la première célébration du Thanksgiving Day[2], les Indiens avaient été invités à dîner; ils étaient venus et avaient déversé sur la table un gros sac rempli de popcorn. Les « Pères Fonda-

1. « *Pères Fondateurs* » = *Pilgrim Fathers, nom couramment donné aux tout premiers immigrants anglo-saxons puritains, qui débarquèrent en 1620 dans la baie de Plymouth.*

2. *Jour d'Actions de Grâces, célébré le dernier jeudi du mois de novembre. Fête très populaire aux États-Unis, instituée par les Pilgrim Fathers pour remercier Dieu de les avoir conduits sains et saufs jusqu'aux*

teurs » ne savaient pas ce que c'était, les « Mères Fondatrices » ne savaient pas elles non plus ; les Indiens avaient fait éclater et griller les grains, mais ce n'était probablement pas très bon ; ils ne les avaient certainement pas beurrés et salés, et ils devaient être froids et durs après qu'ils les eurent apportés dans leur grand sac fait de peaux de bêtes.

Almanzo observait chacun des grains avant de les croquer. Ils étaient tous de formes différentes. Il avait déjà mangé des milliers de poignées de popcorn et, cependant, n'avait jamais trouvé deux grains semblables. Puis, il songea que s'il avait un peu de lait, il prendrait volontiers du popcorn au lait.

Vous pouvez emplir de lait un verre, jusqu'à ras bord, et remplir de popcorn un autre verre de même taille, lui aussi jusqu'à ras bord et ensuite, vous pouvez mettre, grain par grain, tout le popcorn dans le lait, sans qu'une seule goutte ne déborde. Vous ne pouvez pas en faire autant avec le pain. Le popcorn et le lait sont les deux seules choses qui, ajoutées l'une à l'autre, peuvent occuper un seul et même volume.

---

rivages américains. A cette occasion, l'on mange de la dinde sauvage rôtie, des galettes de maïs, de la tarte à la citrouille, etc., mets traditionnels découverts grâce aux Indiens, avec lesquels, dans les premiers temps, les rapports furent très amicaux.

Et, qui plus est, c'est bon à manger. Mais Almanzo n'avait guère faim, et il savait que Mère n'aimerait pas que l'on dérangeât les jattes de lait. Si vous remuez le lait, quand la crème est en train de monter, elle n'est plus aussi épaisse. Almanzo mangea donc une autre pomme, but du cidre avec son popcorn et ne dit rien au sujet du popcorn au lait.

Quand l'horloge sonnait neuf heures, il était temps d'aller se coucher. Royal mit sa chaîne de côté et Alice, son ouvrage; Mère planta ses aiguilles à tricoter dans la pelote de fil et Père remonta la grande horloge. Il mit encore une bûche dans le poêle, avant de fermer le tirage.

— Il fait froid cette nuit, remarqua M. Coarse.

— — 40°, précisa Père, et il fera encore plus froid, au petit matin.

Royal alluma une bougie. Almanzo, somnolent, le suivit jusqu'à la porte donnant sur la cage d'escalier. Le froid le réveilla sur-le-champ. Il monta bruyamment l'escalier, en courant. Il faisait si glacial dans la chambre qu'il put à peine déboutonner ses vêtements et enfiler sa longue chemise de nuit de laine et son bonnet de nuit. Il aurait dû s'agenouiller pour dire ses prières, mais il ne le fit pas. Il avait le nez tout endolori par le froid et claquait des dents. Il plongea dans le doux lit de plumes d'oie, entre les couvertures, et remonta sa courtepointe sur son nez.

Il n'eut plus conscience de rien, si ce n'est, plus tard, de l'horloge, en bas, qui sonnait les douze coups de minuit. L'obscurité, comme envahie de petites aiguilles de glace, lui pressait les yeux et le front. Il entendit quelqu'un bouger au rez-de-chaussée, puis la porte de la cuisine, s'ouvrir et se refermer — c'était Père qui allait à l'étable.

Bien que les dépendances fussent immenses, Père ne pouvait y loger toutes les vaches, tous les bœufs, les porcs, les veaux et les moutons qu'il possédait. Vingt-cinq jeunes têtes de bétail étaient obligées de dormir, sous un auvent, dans la cour de ferme. Si, par des nuits aussi froides que celle-là, elles restaient couchées, sans bouger, elles risquaient de geler durant leur sommeil. C'est pourquoi, à minuit, par ce froid cruel, Père sortait de son lit chaud pour aller les réveiller.

Dehors, dans la nuit noire et glaciale, il forçait les jeunes bêtes à sortir de leur torpeur. Il faisait claquer son fouet tout en courant derrière elles, encore et encore, autour de la cour, les maintenant au galop, jusqu'à ce qu'elles fussent réchauffées par l'exercice.

Almanzo rouvrit les yeux. La bougie crépitait sur le bureau. Royal, dont le souffle se figeait dans l'air glacé, était en train de s'habiller. La chandelle luisait faiblement, comme si l'obscurité eût cherché à l'éteindre.

Soudain, Royal avait disparu, la chandelle n'était plus là, et Mère appelait du bas de l'escalier :

— Almanzo! que se passe-t-il? Tu es malade? Il est cinq heures.

Il se glissa, grelottant, hors du lit, enfila son pantalon et sa chemise, puis descendit l'escalier quatre à quatre pour aller se boutonner dans la cuisine, auprès du fourneau. Père et Royal étaient déjà partis aux écuries. Almanzo prit les seaux à lait et sortit en toute hâte. La nuit paraissait immense et calme, et les étoiles, comme givrées, scintillaient dans le ciel noir.

Quand ils eurent fini de s'occuper des bêtes, il rentra avec Père et Royal dans la cuisine bien chauffée. Le petit déjeuner était presque prêt. Comme cela sentait bon! Mère faisait frire d'épaisses crêpes à la farine de sarrasin. Le grand plat bleu, maintenu au chaud sur la sole du fourneau, était rempli de beignets de saucisse, bruns et gonflés, qui baignaient dans leur jus.

Almanzo se débarbouilla aussi vite qu'il put et se peigna les cheveux. Dès que Mère eut terminé de passer le lait, tous se mirent à table et Père dit le bénédicité.

Il y avait des flocons d'avoine avec plein de crème épaisse et de sucre d'érable. Il y avait des pommes de terre frites et les galettes de blé noir, toutes dorées, qu'Almanzo pouvait manger à volonté, que l'on accompagnait de saucisses et de jus, ou de sirop d'érable. Il y avait des compotes, des confitures, des gelées et des beignets soufflés. Mais, à toute autre chose, Almanzo préférait la tourte aux pommes, si parfumée, dont le jus était épais, succulent et la pâte friable. Il en mangea deux énormes parts.

Les oreillettes de sa casquette chaudement rabattues sur ses oreilles, son cache-col bien remonté sur le nez, le récipient du déjeuner dans sa main gantée, il se mit en route pour un autre jour de classe.

Il n'avait aucune envie d'y aller. Il ne voulait pas être là, quand les grands rosseraient M. Coarse. Mais il le fallait, car il avait presque neuf ans.

CHAPITRE 4

SURPRISE

Chaque jour, à midi, quand les débardeurs descendaient la colline de Hardscrabble, les enfants accrochaient leurs luges aux patins des traîneaux et se laissaient glisser au bas du chemin. Ils ne faisaient qu'une petite course, toutefois, et revenaient pour l'heure. Seuls Big Bill Ritchie et ses amis ne se souciaient guère de savoir à quel moment M. Coarse tenterait de les punir.

Un jour, ils s'absentèrent bien au-delà de l'heure de la récréation. Quand, en tapant des pieds, ils rentrèrent dans la salle, ils regardèrent tous M. Coarse d'un air goguenard et effronté. Il attendit qu'ils fussent assis, puis se leva, pâle, et menaça :

— Si cela se reproduit encore une fois, vous serez punis.

Chacun savait fort bien ce qui se passerait le jour suivant.

Ce soir-là, quand Royal et Almanzo arrivèrent à la maison, ils mirent Père au courant. Almanzo déclara que ce n'était pas juste, que M. Coarse n'était pas assez fort pour lutter contre ces gaillards, même contre un seul d'entre eux, et que tous bondiraient sur lui en même temps.

— Si seulement j'étais assez grand pour me battre contre eux! s'exclama-t-il, rageur.

— Ecoute-moi, mon petit, expliqua Père. M. Coarse a demandé à prendre ce poste. Ses supérieurs ont été francs et honnêtes avec lui, ils l'ont prévenu de ce qui l'attendait. Il l'a accepté, par conséquent, c'est son affaire et non la tienne.

— Mais ils vont peut-être le tuer, insista Almanzo.

— Cela le regarde, rétorqua-t-il. Quand un homme entreprend un travail, il doit s'y tenir. Si je ne m'abuse, je ne pense pas que M. Coarse aimerait que quelqu'un s'en mêle.

Almanzo ne put s'empêcher de répéter :

— Mais ce n'est pas juste, il ne peut pas se bagarrer contre tous les cinq.

— Cela ne m'étonnerait pas que tu sois surpris, mon fils, Maintenant, les garçons, il faut vous dépêcher, les bêtes ne peuvent pas attendre toute la nuit.

Almanzo partit donc travailler, sans rien ajouter.

Toute la matinée, le lendemain, il demeura assis, son livre ouvert à la main, sans pouvoir étudier, tant il redoutait ce qui allait arriver à M. Coarse. Quand il fut appelé au bureau, il fut incapable de lire sa leçon et il dut rester dans la classe, pendant la récréation ; il aurait bien aimé pouvoir battre Bill Ritchie à plates coutures.

Après le déjeuner, il sortit jouer et vit M. Ritchie, le père de Bill, qui descendait la colline, sur son traîneau chargé de rondins. Tous les garçons restèrent sur place à le regarder ; c'était une sorte de grande brute, à la voix forte et au rire tonitruant, qui se montrait fier de Bill, sous prétexte que ce dernier pouvait rosser les maîtres et faire cesser la classe.

Personne ne courut attacher de luge derrière le traîneau de M. Ritchie ; seuls Bill et ses compagnons grimpèrent sur son chargement de bois. Ils s'éloignèrent en parlant fort, et disparurent au détour du chemin. Les autres enfants avaient cessé de jouer et discutaient entre eux de ce qui allait se passer.

Quand M. Coarse frappa à la vitre, ils entrèrent calmement et s'assirent en silence.

Cet après-midi-là, personne ne sut ses leçons. M. Coarse appela au bureau les élèves de chaque classe, les uns après les autres, mais ils restaient alignés, tête baissée, sans pouvoir répondre à ses questions. M. Coarse n'en punit aucun, il dit simplement :

— Nous reprendrons cette leçon, demain.

Chacun savait que, le lendemain, M. Coarse ne serait plus là. L'une des petites filles commença à pleurer, puis trois, puis quatre se mirent à sangloter, le front appuyé contre leur pupitre. Quant à Almanzo, il lui fallait se tenir tranquille et apprendre sa lecture.

Au bout d'un long moment, M. Coarse le fit venir près de lui, pour vérifier s'il savait enfin sa leçon. Il en connaissait chaque mot, mais une boule, dans sa gorge, l'empêchait de parler. Il gardait les yeux rivés sur la page, tandis que M. Coarse attendait quand, soudain, ils entendirent les grands arriver.

M. Coarse se leva, posa gentiment sa maigre main sur l'épaule d'Almanzo, lui fit faire demi-tour et lui dit :

— Va à ta place, Almanzo.

Le silence régnait dans la pièce; tout le monde

attendait. Les grands remontèrent le petit chemin, devant l'école, puis ils pénétrèrent dans l'entrée, en se bousculant avec force huées. La porte s'ouvrit avec fracas, Bill Ritchie, suivi de ses acolytes, entra, l'air conquérant.

M. Coarse les regarda, sans rien dire. Bill Ritchie lui rit au nez, mais il ne dit toujours rien. Bill, que les autres poussaient du coude, se moqua à nouveau de M. Coarse puis, prenant la tête, les conduisit tous, martelant le sol de leurs souliers, à leurs places, au fond de la classe.

M. Coarse souleva la tablette de son bureau et sa main, dissimulée derrière la tablette relevée, disparut dans la case.

— Bill Ritchie, venez ici, ordonna-t-il.

Big Bill bondit de son siège et arracha son manteau, en poussant un cri de guerre.

— Allez, les gars! Il s'élança dans l'allée centrale en courant.

Almanzo se sentit pris de nausée, il ne voulait pas regarder, et, cependant, il ne pouvait s'en empêcher.

M. Coarse s'écarta du bureau, sa main ressortit de derrière la tablette et soudain, une longue traînée noire et mince fendit l'air, en sifflant.

C'était un fouet en peau de serpent noir, de quatre mètres de long. M. Coarse tenait le court manche, lesté de fer, avec lequel on pouvait tuer un bœuf. La longue et fine lanière s'enroula autour des jambes de Bill ; le maître tira d'un coup sec. Sous le choc, Bill chancela et tomba presque. Rapide comme un noir éclair, la lanière décrivait un cercle, frappait, s'enroulait à nouveau et, à nouveau, M. Coarse donnait une brusque secousse.

— Viens donc ici, Bill Ritchie, commandait-il, l'attirant à lui brutalement, pour reculer aussitôt.

Bill ne pouvait l'atteindre. Le fouet sifflait,

cinglait, s'enroulait, plus vite, toujours plus vite et M. Coarse reculait, de plus en plus rapidement, soulevant Bill presque de terre. Ils allaient et venaient, dans l'espace libre, devant le bureau. La lanière ne cessait de s'enrouler autour des jambes de Bill et de le faire trébucher; M. Coarse ne cessait de se rejeter vivement en arrière et de frapper.

Le pantalon de Bill était transpercé, sa chemise lacérée, ses bras ensanglantés par la morsure du fouet qui allait et venait, en sifflant, trop vite pour qu'on pût le voir. Bill s'élança soudain et le plancher trembla quand, d'une secousse, la lanière du fouet le fit tomber en arrière. Il se releva en jurant, tout en essayant de saisir la chaise du maître, pour la lui lancer, mais la lanière le retourna brusquement. Il se mit à crier comme un veau; il pleurnichait, suppliait.

Mais le fouet sifflait, encerclait, secouait, sans relâche. Petit à petit, il repoussa Bill, par saccades, jusqu'à la porte. M. Coarse le jeta, tête la première, dans l'entrée, claqua la porte et la referma à clef. Faisant rapidement volte-face, il s'écria :

— A toi, maintenant, John, approche!

John, debout dans l'allée, regardait, effaré. Il virevolta, cherchant à fuir, mais M. Coarse fit un pas rapide en avant, l'attrapa avec le fouet et le tira brutalement à lui.

— Oh, Monsieur, je vous en prie, je vous en prie! suppliait John.

M. Coarse, haletant, les joues ruisselantes de sueur, ne répondit point. La lanière du fouet s'enroulait, sifflait, repoussait John par brusques à-coups vers la porte. M. Coarse le jeta dehors, claqua la porte et se retourna.

Les autres grands avaient réussi à ouvrir la fenêtre. Un, deux, trois gaillards sautèrent dans la neige profonde et s'éloignèrent en chancelant.

M. Coarse enroula soigneusement le fouet et le posa sur le bureau. Il s'essuya le visage avec son mouchoir, réajusta son col, et dit, calmement :

— Royal, veux-tu fermer la fenêtre, s'il te plaît?

Royal se dirigea vers la fenêtre, sur la pointe des pieds, et la ferma. M. Coarse appela ensuite les élèves, pour la leçon de calcul, mais personne ne la savait. Aucun enfant ne sut ses leçons, de tout le reste de l'après-midi. Il n'y eut point de récréation — tout le monde l'avait oubliée. Almanzo attendait avec impatience que la classe fût terminée, pour pouvoir se précipiter au-dehors, avec les autres, et crier à tue-tête. Les grands étaient battus! M. Coarse avait rossé la bande à Bill Ritchie, du lotissement de Hardscrabble!

Mais Almanzo ne sut le meilleur de l'histoire

que le soir, au cours du dîner, lorsqu'il écouta ce que Père disait à M. Coarse.

— Ces voyous n'ont pas réussi à vous mettre à la porte, d'après ce que m'a dit Royal.

— Non, et c'est bien grâce à votre fouet.

Almanzo cessa de manger. Il regardait Père, médusé. Il avait donc toujours été au courant ! Père était, sans nul doute, l'homme le plus intelligent, le plus grand et le plus fort du monde.

Père parlait. Il racontait que, pendant leur course sur le traîneau du père de Bill, les grands avaient dit à ce dernier qu'ils avaient l'intention de corriger le maître, ce même après-midi. M. Ritchie, qui trouvait cela très drôle, était tellement persuadé qu'ils le feraient, qu'il avait annoncé la nouvelle, à tout le monde, en ville. Au retour, il s'était même arrêté pour dire à Père que Bill avait rossé M. Coarse, et que l'école allait être à nouveau fermée.

Almanzo imaginait quelle avait dû être la surprise de M. Ritchie lorsqu'il était arrivé chez lui et avait vu son fils.

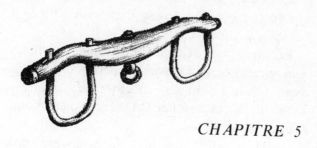

CHAPITRE 5

JOUR D'ANNIVERSAIRE

Le lendemain matin, alors qu'Almanzo mangeait ses flocons d'avoine, Père rappela que c'était le jour de son anniversaire. Ainsi, il avait neuf ans, par ce froid matin d'hiver.

— Il y a quelque chose pour toi, dans le bûcher, dit Père.

Il eut envie d'aller voir, sans plus attendre, mais Mère déclara qu'il serait malade, s'il ne mangeait pas son petit déjeuner, et qu'il lui faudrait prendre des médicaments. Il se mit alors à avaler, mais elle intervint encore :

— Ne prends donc pas de si grosses bouchées!

Les mères font toujours beaucoup d'histoires sur votre façon de manger. Il est bien difficile de les satisfaire à cet égard.

Enfin, le petit déjeuner fut terminé; Almanzo alla au bûcher — il y avait un petit joug pour ses veaux! Père l'avait fait en cèdre de Virginie, si bien qu'il était solide et léger, néanmoins. C'était pour lui, tout seul!

— Mais oui, mon fils, tu es assez grand maintenant pour dresser les veaux, remarqua Père, en voyant sa surprise.

Almanzo n'alla pas en classe, ce jour-là. Il n'était pas obligé d'aller à l'école, quand il y avait des choses plus importantes à faire. Il emporta le petit joug dans l'étable et Père l'accompagna. Il se disait que s'il savait parfaitement s'y prendre avec les veaux, l'année suivante Père le laisserait peut-être l'aider à panser les poulains.

Star et Bright se tenaient dans leur box bien chaud, dans l'Etable Sud. Leurs flancs roux étaient lisses et soyeux, tant Almanzo les avait étrillés. Ils se pressèrent contre lui et le léchèrent de leur langue humide et râpeuse. Ils croyaient qu'il leur avait apporté des carottes et ne se doutaient pas qu'il allait leur apprendre à se conduire comme de grands bœufs.

Père lui montra comment ajuster le joug, avec soin, sur leurs jeunes cous. Il dut en poncer les courbes intérieures avec un morceau de verre cassé, jusqu'à ce qu'il s'adaptât parfaitement et que le bois fût tout à fait lisse. Il baissa ensuite les barres et les veaux, étonnés, le suivirent dans la cour enneigée, éblouissante et glaciale.

Père soutint l'une des extrémités du joug pendant qu'Almanzo plaçait l'autre sur le cou de Bright, puis il passa l'arceau sous sa gorge et le fit rentrer dans les trous percés à cet effet; il le maintint en place à l'aide d'une barrette de bois, glissée dans l'un des bouts qui dépassaient au-dessus du joug.

Bright tournait sans cesse la tête, cherchant à voir cette étrange chose posée sur son cou, mais Almanzo l'avait rendu si gentil, qu'il resta bien sagement, sans bouger, et, pour le récompenser, il lui donna un morceau de carotte.

Star, l'entendant croquer, s'approcha, pour avoir sa part. Père lui fit faire un quart de tour pour prendre place aux côtés de Bright, sous l'autre extrémité du joug. Almanzo fit passer le second arceau sous sa gorge et le fixa avec sa barrette. Voilà qui était fait, il avait déjà son petit attelage de bœufs.

Père attacha une corde autour des cornes naissantes de Star; Almanzo la prit en main, se plaça devant les veaux et cria :

— Hue!

Le cou de Star s'allongea, de plus en plus. Almanzo tira, si bien qu'enfin, il fit un pas en avant. Bright renifla bruyamment et recula. Le joug, qui tordait la tête de Star, l'empêcha de continuer, et les deux veaux, immobilisés, restèrent à se demander ce que tout cela voulait dire.

Père aida Almanzo à les pousser jusqu'à ce qu'ils fussent, à nouveau, comme il faut côte à côte, puis, avant de rentrer dans l'étable, lui lança :

— Allez, fils, je te laisse te débrouiller.

Almanzo en conclut qu'il avait, maintenant,

l'âge de faire des choses sérieuses par lui-même.

Debout dans la neige, il regardait ses petits veaux qui le fixaient innocemment, se demandant bien comment leur apprendre ce que « Hue ! » signifiait. Il n'y avait aucun moyen de le leur faire comprendre, et, pourtant, il fallait qu'il en trouvât un.

— Quand je dis « Hue ! », vous devez avancer, droit devant vous.

Almanzo réfléchit un instant, puis il abandonna ses veaux pour aller, dans la mangeoire des vaches, chercher quelques carottes, dont il remplit ses poches. Il revint et, tenant la corde dans sa main gauche, se plaça, aussi loin que possible, en face d'eux. Il mit la main droite dans la poche de son pantalon de travail, cria « Hue ! » et en ressortit une carotte, qu'il montra à Star et Bright.

Ils s'approchèrent avec avidité.

— Hô ! s'écria-t-il quand ils furent à sa hauteur, et ils s'arrêtèrent pour avoir la carotte. Il leur en donna un morceau à chacun ; quand ils l'eurent croqué, il recula de nouveau, mit sa main dans sa poche et ordonna : « Hue ! ».

C'était étonnant comme ils comprenaient vite que « Hue ! » voulait dire, avancer, et « Hô ! », s'arrêter. Ils étaient en train de se comporter tout aussi bien que des bœufs adultes, quand Père vint à la porte de l'étable lui dire :

— Allez, fils, ça suffit pour aujourd'hui.

Almanzo n'était pas du tout de cet avis, mais, bien sûr, il ne pouvait pas contredire Père.

— Si tu les fais trop travailler, au début, tes veaux deviendront maussades et ne feront plus attention à toi, expliqua-t-il, de plus, c'est l'heure du déjeuner.

Almanzo pouvait à peine le croire. Il n'avait pas vu passer la matinée.

Il ôta les barrettes, défit les arceaux, enleva le joug du cou de Star et de Bright et les installa dans leur case, bien au chaud. Père lui montra comment essuyer le joug et les arceaux avec des bouchons de paille propre et comment les suspendre à leurs crochets. Il était indispensable de bien les nettoyer, toujours, et de bien les sécher, sans quoi le cou des veaux serait tout irrité.

Il s'arrêta, juste une minute, dans l'écurie, pour admirer les poulains. Il aimait beaucoup Star et Bright, mais les veaux étaient gauches et maladroits, comparés aux jolis poulains, vifs et élancés. Leurs naseaux palpitaient lorsqu'ils respiraient, et leurs oreilles bougeaient avec le rapide battement d'ailes d'un oiseau; ils hochaient de la tête, dans un voltigement de crinière, grattaient délicatement le sol de leurs jambes déliées, chaussées de petits sabots.

— J'aimerais bien aider à dresser un poulain, se risqua-t-il à dire.

58

— C'est un travail d'homme, mon fils, répondit Père. Une seule petite erreur pourrait gâcher un poulain de valeur.

Almanzo ne dit rien de plus et rentra sagement à la maison.

Cela faisait un curieux effet que de déjeuner tout seul avec Père et Mère. Comme ils n'avaient d'autre compagnie, ce jour-là, ils prirent le repas dans la cuisine, qu'illuminait, du dehors, la neige étincelante. Le plancher et les tables avaient été si bien récurés à la lessive de soude mêlée de sable qu'ils en étaient tout blancs. Les bassines de cuivre et les poêlons d'étain accrochés aux murs y jetaient des reflets d'or et d'argent. La bouilloire chantait, et les géraniums, sur l'appui de la fenêtre, étaient plus rouges que la robe rouge de Mère.

Almanzo avait une faim de loup. Il mangea en silence, tout occupé à combler le grand vide dans son estomac, tandis que Père et Mère parlaient entre eux. Quand ils eurent terminé, Mère se leva vivement et commença à mettre les plats dans le bac à vaisselle.

— Almanzo, remplis la caisse à bois, dit-elle, et après, tu pourras faire d'autres petites choses.

Almanzo ouvrit la porte, près du fourneau, qui donnait sur le bûcher. Là, juste devant lui, il y avait une nouvelle luge!

Il avait peine à croire que ce fût pour lui. Il

avait eu le joug comme cadeau d'anniversaire.

— A qui est cette luge, Père? Est-ce — ce n'est pas pour moi? fit-il, hésitant.

Mère se mit à rire, et Père, les yeux pétillants de malice, demanda :

— Connais-tu un autre garçon de neuf ans qui la veuille?

C'était une luge magnifique. Pour la faire, Père avait utilisé du noyer d'Amérique. Elle était longue, fuselée, aérienne. Les patins, en bois de noyer, avaient été longuement détrempés et façonnés en longues courbes nettes, qui semblaient prêtes à prendre leur essor. Almanzo caressa le bois lisse et brillant, si parfaitement poli qu'on ne sentait même plus le haut des chevilles qui maintenaient ensemble les différentes pièces. Il y avait une barre, entre les patins, pour reposer les pieds.

— Allez, va vite! lança Mère en riant, emporte cette luge dehors, elle n'a rien à faire ici!

Le froid persistait, il faisait toujours — 40°, mais le soleil brillait. Almanzo joua tout l'après-midi avec sa luge. Elle ne glissait pas, bien sûr, dans la neige poudreuse et profonde, mais sur la route les patins des traîneaux avaient fait deux traces lisses et bien dures. Au sommet de la colline, il lui faisait prendre un peu de vitesse, se jetait dessus et s'en allait gaiement.

Seulement, la piste, étroite, décrivait une courbe, si bien que, tôt ou tard, il culbutait dans les amoncellements de neige. La luge légère dévalait, sans fin, et, descente après descente, Almanzo basculait, tête première, en bordure du chemin. Il émergeait à grand-peine et, aussitôt, grimpait à nouveau au sommet.

Il rentra plusieurs fois à la maison y chercher des pommes, des beignets et des gâteaux secs. Il faisait bien chaud, en bas, où tout était silencieux et désert. On entendait, à l'étage, le ronron du métier à tisser et le clic-clac de la navette volante. Almanzo ouvrit la porte du bûcher et perçut le doux bruit d'une plane qui glissait sur du bois, puis le claquement d'un bardeau que l'on retournait.

Il grimpa l'escalier qui accédait à l'atelier mansardé de Père. Ses moufles, couvertes de neige, pendaient aux deux bouts de la cordelière passée derrière sa nuque, Il tenait un beignet dans la main droite et deux biscuits dans la main gauche. Il prit d'abord une bouchée du beignet.

Père était assis à califourchon sur son banc d'âne, à proximité de la fenêtre. Juste devant lui se trouvait une tablette inclinée, au sommet de laquelle étaient fixés deux montants verticaux. Il y avait, à sa droite, une pile de bardeaux, non dégrossis, qu'il avait fendus, à la hache, dans de courts rondins de chêne.

Il ramassa l'un d'eux, le cala contre les montants et tira à lui le couteau à deux poignées. Un coup l'aplanit, un autre amenuisa davantage la partie supérieure. D'un geste vif, il retourna le bardeau. Deux coups de plane de ce côté, et ce fut fait. Il le posa sur la pile de bardeaux déjà terminés et en plaça un autre, non dégrossi, contre les montants.

Ses mains allaient et venaient, rapidement, sans à-coups, sans jamais s'interrompre, même lorsqu'il relevait la tête pour faire un clin d'œil à Almanzo.

— Alors, mon petit, tu t'amuses bien?, demanda-t-il.

— S'il te plaît, est-ce que je peux faire ça?

Père se poussa à l'arrière du banc, pour faire un peu de place devant lui. Almanzo s'y campa, à cheval, engouffra le reste de son beignet et prit dans ses mains les poignées de la longue plane; il la fit glisser, avec soin, jusqu'en haut de la planche. Ce n'était pas aussi facile qu'il y paraissait. Pour l'aider, Père mit ses grandes mains sur les siennes et, ensemble, ils nivelèrent le bardeau.

Almanzo le retourna et ils égalisèrent l'autre côté. Cela lui suffisait. Il descendit du banc et alla voir Mère. Ses doigts voletaient et du pied droit, elle actionnait la pédale du métier à tisser. La navette volait de sa main droite à sa main

gauche, dans un mouvement de va-et-vient, laissant derrière elle, à chaque passage, un fil de trame qui s'entrecroisait rapidement avec les fils de la chaîne, tendus entre les dents du peigne.

Tap! faisait la pédale; clic-clac! chantait la navette; tam! répondait le battant; et la navette volait de l'autre côté.

La pièce où travaillait Mère était vaste, lumineuse et bien chauffée par le conduit de cheminée du poêle. Son petit fauteuil se trouvait près d'une fenêtre avec, posée à côté, une corbeille pleine de chiffons déchirés en bandelettes, destinées à la confection d'un tapis. Dans un coin se dressait le rouet, actuellement au repos. Il y avait, sur tout un mur, des étagères garnies d'écheveaux de fil rouge, brun, bleu et jaune, que Mère avait teints l'été précédent.

Mais l'étoffe, qu'elle était en train de tisser, était d'un gris naturel. Elle avait obtenu ce coloris en retordant, sans les teindre, deux brins de laine; l'un provenait de la toison d'un mouton blanc, l'autre, de la toison d'un mouton noir.

— C'est pour quoi faire, ça? interrogea Almanzo.

— Ne montre pas du doigt, Almanzo, corrigea Mère. Ce sont de mauvaises manières.

Elle parlait fort pour couvrir le bruit du métier à tisser.

— Pour qui est-ce? reprit-il, cette fois sans pointer le doigt.

— Pour Royal. C'est son uniforme, expliqua Mère.

Royal devait aller en pension à Malone, l'hiver suivant, c'est pourquoi Mère tissait une étoffe de drap pour son nouvel uniforme.

Tout était douillet et confortable dans la maison. Almanzo descendit au rez-de-chaussée, prit encore deux beignets dans le plat et s'en retourna jouer dehors, avec sa luge.

Trop tôt, les ombres gagnèrent les pentes exposées à l'est. Il dut ranger sa luge pour aller aider à donner à boire aux bêtes, car c'était l'heure des corvées.

Le puits était assez éloigné des dépendances. La pompe se trouvait à l'intérieur d'une petite maison, d'où l'eau s'écoulait par une rigole, au travers du mur, dans le grand abreuvoir situé à l'extérieur, dont les parois étaient recouvertes de glace. La poignée de la pompe était si froide qu'elle vous brûlait, tel le feu, si vous la touchiez à main nue.

Certains, parfois, vous mettaient au défi de lécher la pompe, par temps froid. Almanzo se gardait bien de relever le défi. Celui qui s'y serait risqué aurait eu la langue collée au fer; il n'aurait eu d'autre solution que de mourir de faim ou de tirer et, dans ce cas, d'y laisser un morceau de sa langue.

Dans la glaciale petite maison de pompage,

Almanzo actionnait le levier de toutes ses forces, tandis que Père menait les chevaux à l'abreuvoir. Il y conduisit, d'abord, les chevaux d'attelage, avec les jeunes poulains qui suivaient leurs mères, puis les poulains plus âgés, qu'il emmena un par un; ils n'étaient pas encore bien dressés et, saisis par le froid, piaffaient, se cabraient, tiraient sur leur licol, que Père maintenait fermement pour les empêcher de s'échapper.

Almanzo continuait à pomper, aussi vite qu'il le pouvait. L'eau jaillissait de la pompe avec un bruit qui vous donnait des frissons. Les chevaux y plongeaient leur nez tremblant et la buvaient, rapidement, jusqu'à la dernière goutte.

A son tour, Père prit la poignée, pompa l'eau jusqu'à ce que le grand abreuvoir fût plein et retourna aux étables, pour faire sortir le bétail.

Les vaches et les bœufs n'avaient pas besoin d'être menés; ils venaient, sans perdre de temps, buvaient, pendant qu'Almanzo pompait l'eau, puis repartaient en toute hâte dans les bâtiments bien chauds, où chacun regagnait sa place. Ils entraient dans leur propre case et plaçaient d'eux-mêmes leur tête entre les montants.

Etait-ce parce qu'ils avaient plus de bon sens que les chevaux ou, au contraire, parce qu'ils en avaient si peu qu'ils faisaient tout par habitude?, Père l'ignorait.

Quand il eut terminé, Almanzo prit sa fourche

et commença à nettoyer les boxes, pendant que Père servait les rations d'avoine et de pois dans les mangeoires. Royal rentra de l'école, et, comme à l'accoutumée, ils achevèrent ensemble le travail. L'anniversaire d'Almanzo était passé.

Il lui faudrait aller en classe, le lendemain, pensait-il, mais, ce même soir, Père annonça qu'il était temps de débiter la glace. Almanzo pourrait rester à la maison, pour aider, ainsi que Royal.

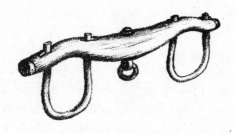

CHAPITRE 6

LE STOCKAGE
DE LA GLACE

Il faisait si froid, que la neige était granuleuse, tel le sable, sous les pieds. Un peu d'eau, projetée dans l'air, retombait en minuscules perles de glace. Même à midi, du côté sud de la maison, la neige ne ramollissait point. C'était le temps idéal pour débiter la glace, car lorsque l'on soulevait les blocs découpés dans l'étang gelé, aucune goutte d'eau ne ruisselait — elle gelait instantanément.

Le soleil se levait quand Almanzo se blottit sous les couvertures de fourrure, entre Père et

Royal, dans le grand traîneau, pour se rendre à l'étang situé sur la rivière Trout. Les pentes des congères exposées à l'est prenaient une teinte rosée, à la lumière du soleil levant.

Les chevaux trottaient avec entrain en faisant tinter leurs clochettes. A chaque expiration, un petit nuage de fumée s'exhalait de leurs naseaux. Les patins du traîneau crissaient sur la neige durcie. Almanzo sentait l'air froid lui picoter et lui rétracter l'intérieur du nez. Toutefois, de minute en minute, le soleil brillait d'un éclat plus vif, faisant jaillir de la neige de scintillantes paillettes rouges et vertes ; dans toute la forêt, les glaçons étincelaient d'une lumière blanche et crue.

Les étangs se trouvaient à deux kilomètres de la maison, dans les bois. Père dut descendre une fois du traîneau pour réchauffer, de ses mains, le nez des chevaux. Leur haleine avait gelé, obstruant leurs naseaux et les empêchant presque de respirer. Les mains de Père firent fondre la glace, et ils poursuivirent allègrement leur route.

French Joe et Lazy John attendaient sur l'étang, quand le traîneau vint s'y arrêter. Il s'agissait de deux Français qui habitaient au milieu des bois, dans de petites maisons faites de rondins. Ils n'avaient pas de fermes. Ils vivaient de pêche, de chasse et posaient des trappes. Ils aimaient chanter, plaisanter, danser et buvaient du vin rouge en guise de cidre. Quand Père avait besoin de journaliers, ils travaillaient pour lui ; il leur donnait, en contrepartie, un morceau du porc salé que l'on conservait dans des barillets.

Ils attendaient debout, sur l'étang enneigé, chaussés de grandes bottes, vêtus de vestes écossaises et coiffés de casquettes à oreillettes en fourrure. Leur haleine, qui s'était figée, couvrait de givre leurs longues moustaches. Tous deux portaient une hache sur l'épaule et, à la main, une scie passe-partout.

Une scie passe-partout est constituée d'une longue lame avec des poignées de bois, aux extrémités. Il faut deux hommes pour la tirer d'avant en arrière, transversalement à ce qui doit être coupé en deux. Il était impossible de scier la glace de cette façon ; elle était pareille à un plancher, solide, plane étendue, n'offrant aucune prise à la lame de la scie.

Quand il les vit, Père sourit et leur cria :

— Vous avez déjà tiré à pile ou face ?

Tous éclatèrent de rire, sauf Almanzo qui ne connaissait pas la plaisanterie. Alors, French Joe la lui raconta :

— Un jour, on avait envoyé deux Irlandais couper de la glace, pour la première fois de leur vie. Ils regardent la glace, puis regardent la scie, et, à la fin, Pat sort un sou de sa poche et dit à son compagnon :

« Alors, Jamie, honnêtement, pile ou face, qui va en dessous? »

Almanzo se mit à rire, lui aussi; il imaginait quelqu'un s'enfonçant dans l'eau froide et noire, sous la glace, pour tirer l'un des bouts de la scie passe-partout. C'était amusant de penser qu'il y avait des gens qui ne savaient pas comment cela se faisait.

Il se dirigea, avec les autres, jusqu'au milieu de l'étang gelé, en marchant avec précaution, de peur de glisser. Un vent âpre y soufflait, emportant devant lui de petits paquets de neige. Recouvrant l'eau profonde, la glace était lisse et sombre; la neige, balayée par le vent, avait presque entièrement disparu. Almanzo regarda attentivement Joe et John y creuser, à coups de hache, un trou de forme triangulaire. Ils ôtèrent les morceaux et les transportèrent à l'écart, laissant ainsi, à ciel ouvert, l'eau qui remplissait la brèche.

— Elle fait à peu près cinquante centimètres d'épaisseur observa Lazy John.

— Alors, il faut la couper sur cinquante centimètres, décida Père.

Lazy John et French Joe s'agenouillèrent au bord de l'orifice, enfoncèrent tous deux leurs scies passe-partout dans l'eau et commencèrent à scier — personne ne tirait à l'autre bout. Ils firent deux entailles de six mètres de long, espacées de cinquante centimètres l'une de l'autre. John cassa ensuite la glace, en travers, à la hache; un bloc de cinquante centimètres de largeur, de cinquante centimètres d'épaisseur et de six mètres de longueur se souleva légèrement et se détacha en flottant. John, à l'aide d'un bâton, le poussa vers la brèche, et, dès qu'il fut entièrement sorti, brisant la fine pellicule de glace qui s'était déjà reformée sur l'eau, Joe le découpa en pains de cinquante centimètres de long. Avec son énorme pince en fer, Père les chargea sur le traîneau.

Almanzo courut regarder le va-et-vient de la scie. Soudain, au bord du trou, son pied glissa.

Il se sentit tomber, tête la première, dans l'eau noire, sans pouvoir s'agripper à rien. En un éclair, il eut conscience qu'il allait couler, être attiré sous l'épaisse couche de glace, entraîné par le courant rapide, là où personne ne pourrait le retrouver. Il allait se noyer, retenu par la glace, dans le noir.

French Joe l'empoigna juste à temps. Il entendit un cri et sentit une main rude tirer sa jambe d'un coup sec. Il reçut un choc épouvantable et se retrouva étendu, à plat ventre, sur la bonne glace bien ferme. Il se releva. Père accourait.

Il se pencha sur lui, immense et terrible.

— Tu mériterais de recevoir la pire correction que tu aies jamais eue, s'écria-t-il, furieux.

— Oui, Père, murmura Almanzo.

Il savait qu'il aurait dû être plus prudent. Un garçon de neuf ans est trop grand pour faire de pareilles sottises, pour la simple raison qu'il ne prend pas le temps de réfléchir. Almanzo avait conscience de tout cela, et il se sentait tout honteux. Il se fit tout petit, tremblant des pieds à la tête, à l'idée de la fouettée qu'il allait recevoir. Père faisait très mal quand il vous donnait une correction, mais il reconnaissait qu'il la méritait. Le fouet était sur le traîneau.

— Je passe pour cette fois, décida Père, mais tâche de rester loin du bord.

— Oui, Père, répondit Almanzo d'une toute

petite voix. Il s'éloigna du trou et ne s'en approcha plus.

Père acheva le chargement du traîneau. Il recouvrit les blocs de couvertures en peau de buffle, pour qu'Almanzo pût s'y asseoir, et s'en retourna, avec Royal, à la glacière installée près des dépendances.

Il s'agissait d'une cabane construite en planches largement espacées les unes des autres. Elle reposait sur de grosses billes de bois qui la surélevaient du sol, si bien qu'elle ressemblait à une énorme cage. Seuls le toit et le plancher ne laissaient apparaître aucun interstice entre les planches. Il y avait, sur le plancher, un gigantesque tas de sciure que Père avait remonté, dans son chariot, de la scierie.

Avec une pelle, il étendit une couche de sciure de huit centimètres d'épaisseur, sur une partie du plancher. Il y disposa les pains de glace à une distance de huit centimètres l'un de l'autre, puis il repartit à l'étang, pendant qu'Almanzo et Royal se mettaient au travail dans la cabane.

Ils remplirent de sciure tous les espaces entre les pains et la tassèrent, comme il faut, à l'aide de bâtons. Ensuite, ils pelletèrent tout le tas de sciure, dans un coin, par-dessus la glace. A sa place, ils rangèrent d'autres cubes sur un lit de sciure et recouvrirent le tout, sur une épaisseur de huit centimètres.

Ils travaillaient aussi vite qu'ils le pouvaient. mais ils n'avaient pas encore terminé que, déjà, Père arrivait avec un second chargement de glace. Il déposa une nouvelle couche de cubes, espacés de huit centimètres, et s'en retourna avec le traîneau, leur laissant le soin de bien tasser la sciure dans les intervalles, de l'étaler sur la glace et de remettre le reste en tas.

Ils travaillaient avec tant d'ardeur qu'ils ne sentaient pas le froid, mais, bien avant midi, Almanzo fut pris d'une véritable faim de loup. Il ne pouvait même pas prendre le temps de courir à la maison y chercher un beignet; il avait l'estomac creux, tenaillé par la faim.

Pourtant, à genoux sur la glace, il continuait à pousser la sciure dans les fentes, avec ses mains gantées de moufles, et la pressait avec un bâton, aussi vite que possible. Il demanda à Royal :

— Qu'est-ce que tu aimerais le mieux manger?

Ils se mirent à parler de côtes de porc et de dinde en sauce, de haricots blancs gratinés, de galettes de maïs croustillantes et d'autres bonnes choses. Almanzo déclara que ce qu'il aimait le plus au monde, c'étaient les pommes que l'on faisait rissoler avec des oignons.

Quand, enfin, ils rentrèrent déjeuner, il y en avait, là, posé sur la table, un énorme plat! Mère savait ce qu'il préférait, elle les avait préparées tout spécialement pour lui plaire.

Il dévora quatre assiettées de pommes et d'oignons rissolés ensemble. Il mangea du rôti de bœuf avec du jus, de la purée de pommes de terre, des carottes à la crème, des navets cuits à l'eau et un nombre incalculable de tartines beurrées avec de la gelée de pommes sauvages.

— Un garçon en pleine croissance a besoin de manger beaucoup, observa Mère. Elle mit dans son assiette vide une large part de gâteau de pommes au nid et lui tendit le pichet de crème fraîche, saupoudrée de noix de muscade.

Almanzo versa la crème onctueuse sur les pommes nichées dans la pâte légère; le jus brun et sirupeux se mêla à la crème; il prit sa cuillère et mangea tout, jusqu'à la dernière miette.

Royal et Almanzo travaillèrent dans la cabane jusqu'à l'heure de la traite. Ils travaillèrent toute la journée, le lendemain et encore le surlendemain. Le troisième jour, comme la nuit tombait, Père les aida à étaler la dernière couche de sciure sur les tout derniers pains de glace, à la pointe du toit de la cabane. Cette besogne était terminée.

Bien enfouis sous la sciure, les cubes de glace ne fondraient pas, même durant les plus grosses chaleurs de l'été. Un par un ils seraient dégagés et Mère ferait de la crème glacée, de la limonade et du lait de poule bien frais.

SAMEDI SOIR

C'était un samedi soir, ce soir-là. Mère avait passé toute la journée à faire de la pâtisserie et quand Almanzo vint prendre les seaux à lait, dans la cuisine, elle était encore occupée à faire frire des beignets à la grande graisse. L'air était empli de leur chaud parfum un peu âcre, de l'odeur du pain frais, des gâteaux richement épicés et des tartes sirupeuses.

Almanzo prit le plus gros beignet du plat et en mordit le bout bien croustillant. Mère étendait au rouleau la pâte blonde et la découpait en

77

longues bandes qu'elle enroulait, repliait et entortillait. Ses doigts étaient si agiles que l'on pouvait à peine les voir. Les languettes de pâte semblaient s'enrouler d'elles-mêmes sous ses doigts et sauter dans la grande bassine de cuivre, pleine d'huile bouillante.

Plouf! Elles descendaient au fond en envoyant des bulles, puis remontaient à la surface, transformées en beignets qui gonflaient lentement; ils se retournaient d'eux-mêmes, plongeant leur dos à peine doré dans l'huile, tandis que leur ventre brun et soufflé émergeait.

Mère prétendait qu'ils se retournaient parce qu'ils étaient tortillés. Certaines maîtresses de maison leur donnaient une nouvelle forme, c'est-à-dire ronde, avec un trou au centre. Mais les beignets ronds ne se retournaient pas d'eux-mêmes. Mère ne pouvait pas perdre son temps à le faire, il était plus commode de les tortiller.

Almanzo aimait bien le jour où l'on faisait de la pâtisserie, mais il n'aimait pas le samedi soir. Le samedi soir, il n'y avait pas l'agréable veillée, auprès du poêle, où l'on mangeait des pommes et des popcorn accompagnés de cidre doux. Le samedi soir était consacré au bain.

Après le dîner, Almanzo et Royal mirent à nouveau leur manteau, leur casquette, leur cache-nez et leurs moufles. Ils transportèrent l'un des baquets à lessive, qu'on avait rangés au-dehors, jusqu'au tonneau d'eau de pluie.

Tout prenait un aspect lugubre sous la neige. Les étoiles, dans le ciel, semblaient de glace. Seule une faible petite lueur parvenait de la chandelle restée allumée dans la cuisine.

L'intérieur du tonneau était tapissé d'une épaisse couche de glace et, au centre, là où chaque jour il fallait la briser pour empêcher le tonneau d'éclater, il n'y avait plus qu'un trou minuscule. Royal donna quelques coups de hachette; celle-ci pénétra avec un son mat et humide, et l'eau, que la glace retenait de toutes parts, jaillit rapidement.

C'est étrange comme l'eau peut se dilater lorsqu'elle gèle. Les autres choses se rétractent, au contraire, sous l'effet du froid.

Avec sa louche, Almanzo commença à remplir le baquet d'eau et de morceaux de glace. C'était un long travail, qui vous frigorifiait, que de prendre l'eau par ce petit orifice. Il eut soudain une idée.

De grands glaçons pendaient des avant-toits de la cuisine. Ils étaient larges et compacts à la base, tandis que leurs bouts effilés touchaient presque la neige. Il saisit l'un d'eux, donna une forte secousse, mais seule la pointe se détacha.

Almanzo parvint, avec effort, à décoller la hachette qui avait gelé par terre, sous la véranda, là où Royal l'avait déposée. Il la souleva à deux mains et frappa sur les glaçons. Une véritable avalanche s'effondra, se brisant en éclats sur le sol. C'était un bruit follement amusant.

— Hourra! hourra! claironna Royal, alors qu'Almanzo frappait à nouveau. Le bruit fut, cette fois, plus impressionnant encore.

— Tu es plus grand qu' moi, tape avec tes poings, suggéra Almanzo. Royal se mit alors à frapper des deux poings, pendant qu'Almanzo recommençait à donner des coups de hachette. Ils faisaient un vacarme épouvantable.

Tous deux vociféraient tout en décrochant de plus en plus de glaçons à coups de poings et de hache. D'énormes blocs partaient à toute volée, pour s'écraser partout sous la véranda ou se planter dans la neige. Le long des gouttières, il y avait à présent un grand vide, comme si le toit avait perdu quelques dents.

Mère ouvrit brusquement la porte de la cuisine :

— Mon Dieu! s'écria-t-elle, Royal, Almanzo! Etes-vous blessés?

— Non, Mère, répondit Almanzo, tout confus.

— Que se passe-t-il? Qu'avez-vous fait?

Almanzo se sentait pris en faute, et pourtant, on ne pouvait pas vraiment dire qu'ils avaient joué au lieu de faire leur travail.

— Nous avons pris de la glace pour l'eau du bain, Mère, expliqua-t-il.

— Mon Dieu! je n'ai jamais entendu un tel tintamarre! Avez-vous besoin de crier comme des fous?

— Non, Mère, répondit Almanzo, penaud.

Mère, qui claquait des dents, referma la porte. Almanzo et Royal ramassèrent, en silence, les glaçons éparpillés sur le sol et remplirent la lessiveuse, sans dire un mot. Elle était si lourde qu'ils rentrèrent en chancelant sous le poids. Il fallut que Père vînt la soulever pour la poser sur le fourneau.

Almanzo graissait ses mocassins et Royal cirait ses bottes, pendant que la glace fondait. Dans le cellier, Mère remplissait le grand fait-tout de haricots déjà cuits, y ajoutait des oignons, des piments doux et versait, sur le tout, la mélasse qui tombait en spirales. Almanzo la vit ensuite ouvrir les boîtes contenant les diverses farines. Elle jeta vivement de la farine de seigle et de la farine de maïs dans le grand pot de terre jaune, y ajouta, tout en tournant, du lait, des œufs et d'autres ingrédients et transvasa cette pâte d'un gris jaunâtre, dans le grand plat à four, jusqu'à ras bord. C'était là la pâte pour le pain de seigle indien.

— Prends le pain, Almanzo et tâche de ne pas le renverser, dit-elle.

D'un geste vif, elle empoigna le fait-tout de haricots, tandis qu'Almanzo la suivait, plus lentement, avec le lourd plat rempli de pâte. Père ouvrit les grandes portes du four pour que Mère pût y glisser les haricots et le pain à l'intérieur. Ils allaient cuire là, à petit feu, jusqu'à l'heure du déjeuner de dimanche.

Almanzo resta seul pour prendre son bain dans la cuisine. Son linge de corps de rechange avait été suspendu au dossier d'une chaise pour être aéré et chauffé. Le gant de toilette, la serviette et le petit gobelet en bois, rempli de savon noir, étaient posés sur une autre chaise. Il alla chercher un second cuveau dans le bûcher et le déposa sur le plancher, devant la porte ouverte du four.

Après avoir ôté sa chemise, l'une de ses paires de chaussettes et son pantalon, il prit, avec la louche, un peu d'eau chaude dans le baquet placé sur le fourneau et la versa dans celui qui était posé à terre. Il enleva ensuite sa deuxième paire de chaussettes et ses sous-vêtements. Il sentait, sur sa peau nue, la bonne chaleur que dégageait le four. Alors qu'il se faisait ainsi rôtir devant le feu, l'idée lui vint d'enfiler tout simplement ses sous-vêtements propres, sans prendre de bain du tout. Mais il y renonça, car Mère vérifierait lorsqu'il irait à la salle à manger.

Il mit donc ses pieds dans l'eau, jusqu'à hauteur des chevilles. Il plongea les doigts dans le petit gobelet, prit un peu de savon mou et visqueux, en barbouilla le gant de toilette et se frotta, partout, comme il faut.

L'eau était chaude autour de ses orteils, mais, sur le corps, elle était toute froide. Son ventre mouillé fumait à la chaleur du four, alors qu'il frissonnait dans le dos. Quand il se retourna, il eut l'impression, au contraire, que son dos brûlait, tandis que, par-devant, il était glacé. Il se lava aussi vite qu'il put, se sécha, enfila sa chaude chemisette, son caleçon long et mit sa longue chemise de nuit de laine.

Il avait oublié ses oreilles. Il reprit le gant, se nettoya à fond les oreilles et la nuque et mit son bonnet de nuit.

Il se sentait bien, tout propre; sa peau paraissait bien douce dans les vêtements chauds, fraîchement lavés. Il ressentait cette sensation de bien-être, particulière au samedi soir.

C'était agréable, mais Almanzo ne l'appréciait pas au point de prendre un bain. S'il avait pu faire ce qu'il voulait, il n'en aurait pas pris avant le printemps.

Il n'avait pas à vider son baquet, car il aurait pris froid s'il était retourné dehors, après avoir pris un bain. Alice le viderait et le nettoierait avant de s'y baigner; puis, Eliza Jane viderait celui d'Alice, Royal viderait celui d'Eliza Jane, et Mère viderait celui de Royal. Tard dans la nuit, Père viderait celui de Mère pour prendre son bain, et, le lendemain matin, Almanzo le viderait, à son tour, pour la dernière fois.

Il entra, dans la salle à manger, vêtu de ses propres sous-vêtements de couleur blanc crème et de sa chemise de nuit, avec ses chaussettes et son bonnet. Mère le regarda; il s'approcha d'elle pour être examiné.

Elle posa son tricot, vérifia si ses oreilles et son cou étaient bien lavés, admira son visage reluisant de propreté, le prit dans ses bras, l'embrassa et dit en souriant :

— Allez! va vite au lit!

Il alluma une chandelle, monta l'escalier à pas rapides et feutrés, souffla sa bougie et sauta dans le doux et froid lit de plumes. Il commença à faire sa prière — mais s'endormit avant d'avoir terminé.

CHAPITRE 8

DIMANCHE

Le lendemain matin, quand Almanzo, courbé sous le poids de deux seaux de lait près de déborder, pénétra dans la cuisine, Mère préparait des gâteaux de crêpes, en l'honneur du dimanche.

Comme chaque jour, le grand plat bleu, rempli de beignets de saucisse, était posé sur l'âtre du fourneau; Eliza Jane coupait des parts de tarte aux pommes; et Alice servait sur table la crème de flocons d'avoine. Mais en plus, il y avait, sur le petit plat bleu gardé au chaud à l'arrière du fourneau, dix piles de petites crêpes rondes, érigées en hautes tours.

Dix crêpes cuisaient, en même temps, sur la tôle circulaire fumante, réservée à cet usage. Dès qu'elles étaient cuites, Mère déposait une crêpe sur chacune des piles, la beurrait généreusement, et la saupoudrait de sucre d'érable. Le beurre et le sucre se mélangeaient en fondant, imprégnaient les crêpes gonflées et retombaient en petites coulées, le long de leurs bords dentelés.

Voilà ce qu'étaient les gâteaux de crêpes. Almanzo les préférait à toute autre variété de crêpes.

Mère continua à les faire frire jusqu'à ce que tout le monde eût avalé sa crème de flocons d'avoine. Elle ne pouvait jamais en faire trop. Ils en dévoraient tous des piles et des piles. Almanzo mangeait encore, quand Mère repoussa sa chaise et s'écria, affolée :

— Miséricorde! huit heures! Il faut que je file!

Mère filait toujours. Elle se déplaçait à pas précipités, ses mains allaient et venaient, si vite, que vous aviez peine à les voir. Elle ne s'asseyait jamais, au cours de la journée, si ce n'était devant son rouet ou son métier à tisser. Alors, ses doigts voletaient, ses pieds actionnaient les pédales, le rouet ronronnait ou le métier à tisser cliquetait, tap! tap! clic-clac! Mais le dimanche matin, elle faisait se hâter tout le monde, également.

Père étrillait, brossait la robe brune et lisse des chevaux jusqu'à ce qu'elle fût brillante. Almanzo époussetait le traîneau et Royal essuyait le harnais monté en argent. Ils attelaient ensuite les chevaux, avant de rentrer à la maison revêtir leurs habits du dimanche.

Dans le cellier, Mère couvrait d'une abaisse de pâte feuilletée le pâté de poulet à l'anglaise dominical. Le pâté était garni de trois poules grasses, coupées en morceaux, mijotant dans le consommé. Mère étendit la pâte et en pinça les bords pour la souder au plat. On voyait le jus par les petites ouvertures ménagées dans la pâte. Elle glissa le pâté dans le four du poêle de la salle à manger, à côté des haricots et du pain de seigle indien. Père garnit le foyer de bûches de noyer d'Amérique et ferma le tirage, pendant que Mère filait lui sortir ses vêtements de l'armoire et s'habiller elle-même.

Les pauvres gens, même le dimanche, n'avaient, à se mettre, que des habits de gros drap tissé à la maison, au métier à main. Royal et Almanzo portaient du drap de laine, mais Père, Mère et les filles étaient magnifiquement vêtus d'habits que Mère avait confectionnés dans des étoffes tissées à la machine, achetées en magasin.

Elle avait fait le complet de Père dans un fin drap noir de première qualité. Le col du manteau était en velours, sa chemise en percale et son ample cravate, en soie noire. Le dimanche, il ne portait pas de bottes, mais des chaussures en box fin.

Mère était vêtue d'une robe marron en laine de mérinos, avec un col de dentelle blanche et de longues manches bouffantes terminées, aux poignets, par un volant de dentelle blanche. Elle avait fait celle-ci aux aiguilles, avec un fil d'une extrême finesse; elle était si délicate, qu'on eût dit une toile d'araignée. Des passements de velours marron ornaient le devant du corsage et le tour des manches. Elle avait coupé son chapeau dans ce même velours, avec des brides assorties que l'on nouait sous le menton.

Almanzo était fier de Mère, dans ses beaux habits du dimanche. Les filles étaient très jolies, elles aussi, mais il n'éprouvait pas le même sentiment à leur égard.

Leurs jupes à crinoline étaient si larges que Royal et Almanzo eurent du mal à s'installer dans le traîneau. Ils furent obligés de se recroqueviller et de laisser ces larges jupes déborder sur leurs genoux. Au moindre mouvement qu'ils faisaient, Eliza Jane s'écriait :

— Fais attention, maladroit !

Alice, de son côté, se lamentait :

— Oh, Mon Dieu, mes rubans sont tout chiffonnés!

Mais quand ils furent tous bien bordés sous les couvertures en peau de buffle, avec des briques chaudes à leurs pieds, Père laissa partir les chevaux qui piaffaient d'impatience, et Almanzo oublia tout le reste.

Le traîneau filait comme le vent. La robe des magnifiques chevaux luisait sous le soleil; l'encolure arquée, la tête relevée, ils repoussaient de leurs jambes élancées la route enneigée derrière eux. Ils donnaient l'impression de voler, leur longue crinière et leur longue queue lustrées rejetées en arrière par la vitesse.

Père, majestueux, assis bien droit sur son siège, tenait les rênes, tout en laissant les chevaux aller à leur guise. Il ne se servait jamais du fouet; ses chevaux étaient doux et parfaite-

ment dressés. Il lui suffisait de tirer sur les rênes ou de les relâcher pour qu'ils lui obéissent. Ses chevaux étaient certainement les meilleurs de tout l'Etat de New York, ou peut-être même du monde entier! Malone se trouvait à huit kilomètres de la maison, mais Père ne se mettait en route que trente minutes avant l'heure du culte. Les chevaux faisaient tout le trajet au trot, puis il les mettait à l'écurie, jetait une couverture sur leur dos et, quand la cloche sonnait, il montait les marches de l'église.

Quand Almanzo pensait que des années et des années encore s'écouleraient avant qu'il pût tenir les rênes et conduire de semblables chevaux, il pouvait à peine le supporter.

En un rien de temps, Père entra, avec le traîneau, sous l'un des auvents attenants à l'église de Malone. Il s'agissait d'un long bâtiment qui longeait les quatre côtés d'une cour. Les attelages y pénétraient par une barrière. Chaque paroissien payait, selon ses moyens, un loyer pour l'un des auvents. Père avait le plus confortable. Il était si vaste, qu'il y entrait pour dételer. Il y avait une mangeoire avec des compartiments et de la place pour le foin et l'avoine.

Père permit à Almanzo de l'aider à couvrir les chevaux, pendant que Mère et les filles défroissaient leurs robes et lissaient leurs rubans. Ensuite, ils se dirigèrent tous vers l'église en marchant posément. La première cloche sonna alors qu'ils étaient sur les marches.

Il n'y eut plus rien à faire, après cela, si ce n'est de rester assis, sans bouger, jusqu'à la fin du sermon; il dura deux longues heures. Almanzo avait des crampes dans les jambes et une terrible envie de bâiller, mais il n'osa ni bâiller ni se trémousser sur son banc. Il devait se tenir parfaitement tranquille et ne jamais quitter des yeux le visage solennel et la barbe frémissante du pasteur. Almanzo n'arrivait pas à comprendre comment Père savait qu'il ne regardait pas le pasteur, si lui-même le regardait; mais il s'en rendait toujours compte.

Le service était enfin terminé. Une fois sorti de l'église, au soleil, Almanzo se sentit mieux. Le dimanche, les garçons n'avaient pas le droit de courir, de rire ou de parler fort, mais ils pouvaient parler à voix basse. Frank, le cousin d'Almanzo, était là.

Le père de Frank était Oncle Wesley. Il habitait la ville et possédait le moulin où l'on fabriquait la fécule de pommes de terre. Il n'avait point de ferme. Frank n'était donc qu'un enfant de la ville qui jouait avec d'autres petits citadins. Ce dimanche-là, il portait une casquette achetée en magasin.

Elle était en drap écossais, tissé à la machine, avec des oreillettes qui se boutonnaient sous le menton. Frank défit le bouton et montra à Almanzo que l'on pouvait les relever et les boutonner sur le haut de la casquette. Il déclara qu'elle venait de New York et que son père l'avait achetée au magasin de M. Case.

Almanzo n'en avait jamais vu de semblable. Il aurait aimé en avoir une.

Royal fit remarquer que c'était une casquette ridicule.

— A quoi rime d'avoir des oreillettes qui se

boutonnent sur le dessus? Personne n'a d'oreilles au-dessus de la tête! dit-il à Frank.

Almanzo comprit que Royal avait envie d'une casquette comme celle-là, lui aussi.

— Combien est-ce qu'elle a coûté? demanda Almanzo.

— Cinquante cents, répondit Frank, avec fierté.

Almanzo savait qu'il ne pourrait pas en avoir. Les casquettes que Mère faisait étaient douillettes et chaudes; c'eût été gaspiller bêtement de l'argent, que d'en acheter une. Cinquante cents représentaient une forte somme.

— Tiens, tu devrais voir nos chevaux! dit-il à Frank.

— Pfu! ce ne sont pas vos chevaux! rétorqua-t-il. Ce sont ceux de votre père. Vous n'avez pas de cheval à vous, même pas un poulain.

— Je vais en avoir un, répliqua Almanzo.

— Et quand? demanda Frank, arrogant.

Juste au même moment, Eliza Jane appela Almanzo en lui faisant signe:

— Almanzo, viens! Père est en train d'atteler!

Il s'éloigna rapidement pour rejoindre Eliza Jane, mais Frank, dans son dos, dit tout bas:

— Tu n' vas pas avoir de poulain non plus!

Almanzo grimpa sagement dans le traîneau. Il se demandait s'il serait jamais assez grand pour obtenir tout ce qu'il désirait. Quand il était plus jeune, Père lui laissait parfois tenir le bout des rênes, mais il n'était plus un bébé à présent. Il aurait aimé les conduire lui-même. Père lui permettait de brosser, d'étriller, de bouchonner les doux et vieux chevaux de labour et de les conduire lorsqu'ils tiraient la herse; mais il n'avait même pas le droit de pénétrer dans les stalles où se tenaient les chevaux de voiture, si vifs, ou les poulains. C'est à peine s'il osait caresser leur doux nez, à travers les barres, ou effleurer leur front, sous le toupet. Père disait toujours :

— Vous les garçons, laissez les poulains tranquilles! En cinq minutes, vous pouvez leur faire prendre de mauvaises habitudes et à moi, il me faudra des mois pour les leur faire perdre.

Il se sentit un peu rasséréné lorsqu'il prit place à table, pour le bon déjeuner du dimanche. Mère coupa en tranches le pain de seigle indien, tout chaud, sur la planche à pain posée à côté d'elle. Avec sa cuillère, Père fit une profonde brèche dans le pâté de poulet; il préleva de grands morceaux de croûte épaisse et retourna, sur l'assiette, leur face blonde et soufflée, qu'il arrosa de jus. Il en retira de tendres et gros morceaux de poulet dont la viande rouge ou blanche se détachait facilement des os. Il ajouta un monticule de haricots blancs gratinés et mit, par-dessus, une tranche de lard gras. Sur le bord de l'assiette, il déposa un petit tas' de pickles de betteraves, d'un rouge sombre, et la tendit à Almanzo. Celui-ci mangea tout en silence. Il avala ensuite une part de tarte à la citrouille. Il n'en pouvait plus, mais termina, tout de même, par une portion de tarte aux pommes accompagnée de fromage blanc.

Après le repas, Eliza Jane et Alice lavèrent la vaisselle. Quant à Père, Mère, Royal et Almanzo, ils ne firent absolument rien. Durant tout l'après-midi, ils restèrent assis dans la salle à manger surchauffée. Mère lisait la Bible, Eliza Jane, un livre et Père somnolait, se réveillant parfois brusquement pour somnoler à nouveau. Royal faisait passer entre ses doigts la chaîne de bois qu'il ne pouvait tailler et Alice resta un long moment à regarder par la fenêtre. Almanzo, quant à lui, était tout simplement assis — il le fallait bien. Il n'avait pas la permission de faire autre chose, car le dimanche n'était pas un jour fait pour le travail ou l'amusement, c'était un jour fait pour aller à l'église et s'asseoir sans bouger.

Almanzo fut content quand vint l'heure d'aller s'occuper des bêtes.

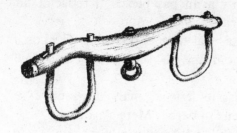

CHAPITRE 9

LE DRESSAGE
DES VEAUX

Almanzo avait été si occupé à stocker la glace dans la cabane, qu'il n'avait pas eu le temps de donner une autre leçon à ses veaux. C'est pourquoi, le lundi matin, il dit :

— Père, je ne peux pas aller à l'école aujourd'hui, n'est-ce pas? Si je ne fais pas travailler les veaux, ils vont tout oublier.

Père tirailla sa barbe et fit un clin d'œil.

— Il me semble qu'il y a un garçon qui pourrait bien oublier ce qu'il a appris, lui aussi, rétorqua-t-il.

Almanzo n'y avait pas pensé. Il réfléchit un instant et reprit :

— Oui, mais j'ai déjà appris plus de choses qu'eux, et, pourtant, ils sont plus jeunes que moi.

Père paraissait sérieux, mais un sourire se dissimulait sous sa barbe; Mère s'exclama :

— Oh, laisse le petit rester à la maison, s'il le veut! Pour une fois, ça ne peut pas lui faire de mal, et il a raison, les veaux ont besoin d'être dressés.

Almanzo s'en fut donc à l'étable et fit sortir les petits veaux dans l'air glacé. Il ajusta le petit joug sur leurs cous, soutint les arceaux, glissa les barrettes dans les trous et passa une corde autour des embryons de cornes de Star. Il fit tout cela, sans aucune aide.

Durant toute la matinée, il fit, pas à pas, le tour de la cour à reculons, tout en criant, « Hue! » puis « Hô ». Star et Bright arrivaient avec empressement quand il criait « Hue! » à tue-tête, s'arrêtaient quand il ordonnait « Hô! » et prenaient d'un coup de langue les morceaux de carottes qu'il leur tendait dans ses moufles de laine.

De temps à autre, lui-même croquait un morceau de carotte crue. L'extérieur est meilleur; il se détache en une bague épaisse et ferme, d'une saveur sucrée. L'intérieur, clair comme de la glace jaune pâle, est plus juteux, mais le goût en est légèrement acide.

A midi, Père vint prévenir Almanzo que les veaux avaient assez travaillé pour la journée et que, l'après-midi, il lui apprendrait à fabriquer un fouet.

Ils partirent dans les bois où Père tailla quelques jeunes branches de bois-cuir. Almanzo les monta dans l'atelier, au-dessus du bûcher. Père lui montra comment détacher en bandes l'écorce qui avait la souplesse du cuir, puis comment natter une lanière de fouet. Il fallait, tout d'abord, nouer ensemble les extrémités de cinq bandes d'écorce et ensuite, faire une natte ronde et bien serrée.

Durant tout l'après-midi, Almanzo resta assis, à côté du banc d'âne, à tresser son fouet avec soin tout comme Père tressait les longs fouets en peau de serpent noir, pendant que celui-ci dégrossissait des bardeaux. Quand il tournait et entrecroisait les bandes, la mince écorce externe s'écaillait, laissant à nu l'écorce interne, lisse et blanche. Le fouet eût été tout blanc, si Almanzo n'y avait laissé quelques taches de doigts sales.

Il n'eut pas le temps de le terminer avant l'heure des corvées et le lendemain, il devait aller en classe. Aussi, chaque soir après dîner, assis près du poêle, il tressa la lanière jusqu'à ce qu'elle eût un mètre soixante de long. Après cela, Père lui prêta son couteau de poche pour parer un manche en bois, sur lequel il attacha la lanière à l'aide de bandes d'écorce de bois-cuir. Le fouet était achevé.

Il serait parfaitement flexible jusqu'à l'été, où la chaleur le dessécherait et le rendrait cassant. Almanzo réussissait à le faire claquer aussi fort que Père, quand il faisait claquer son fouet en peau de serpent. Il le termina juste à temps, car il en avait besoin, à présent, pour donner aux veaux leur troisième leçon.

Il fallait désormais leur apprendre à tourner à gauche quand il criait « Dia! » et à droite quand il criait « Huhau! ».

Dès que le fouet fut prêt, il commença l'apprentissage. Tous les samedis matins, il passait son temps dans la cour à dresser Star et Bright. Jamais il ne les frappait; il faisait seulement claquer le fouet.

Il savait fort bien que l'on ne pouvait rien apprendre à un animal si on le battait ou même, tout simplement, si on lui parlait avec colère. Il devait toujours rester doux, calme, patient, même lorsqu'ils se trompaient. Il fallait que Star et Bright pussent l'aimer, avoir confiance en lui et savoir que jamais il ne leur ferait de mal; s'ils avaient peur de lui, même une seule fois, ils ne deviendraient jamais de bons bœufs laborieux et pleins de bonne volonté.

Comme maintenant ils lui obéissaient toujours quand il ordonnait « Hue! » et « Hô! », il ne se plaçait plus devant eux. Il se tenait à la gauche de Star; Star étant proche d'Almanzo se trouvait être le « bœuf de main », tandis que Bright, de l'autre côté, se trouvait être le « bœuf de raie » [1].

Almanzo criait « Huhau! » en faisant claquer le fouet de toutes ses forces, près de la tête de Star. Celui-ci faisait un saut de côté pour s'en éloigner, ce qui faisait tourner les deux veaux sur la droite. Almanzo disait ensuite « Hue! » et leur laissait faire quelques pas tranquillement.

Puis, il faisait tournoyer la lanière du fouet dans l'air et la faisait claquer, du côté de Bright, en criant simultanément « Dia! ».

Bright s'écartait du fouet, ce qui les faisait tourner, tous deux, sur la gauche.

Parfois, ils bondissaient et commençaient à galoper, mais aussitôt, d'une voix profonde et grave semblable à celle de Père, Almanzo ordonnait « Hô! ». S'ils ne s'arrêtaient pas, il les poursuivait et les devançait, pour les faire reculer. Quand cela se produisait, il lui fallait

---

1. *Autrefois, pour tirer la herse, les bœufs avaient chacun leur place. Celui de droite, ou « bœuf de raie », marchait dans le sillon, tandis que celui de gauche, ou « bœuf de main », marchait à côté du sillon.*

être très patient et reprendre, pendant un long moment, les exercices de « Hue! » et « Hô! ».

Un samedi matin, alors qu'il faisait très froid, les veaux, tout fringants, s'échappèrent au premier claquement du fouet et se mirent à bondir et à galoper autour de la cour tout en beuglant. Quand Almanzo tenta de les arrêter, ils passèrent sur lui, le culbutant dans la neige. Ils continuèrent à courir, droit devant eux, pour le seul plaisir de galoper. Il ne put pratiquement rien en faire, ce matin-là. Il était si furieux qu'il tremblait des pieds à la tête et pleurait à chaudes larmes.

Il eût aimé crier des injures à ces misérables veaux, leur donner des coups de pied, leur frapper la tête avec le manche du fouet — mais il ne le fit pas. Il leva le fouet, attacha de nouveau la longe autour des cornes de Star et leur fit faire, deux fois, le tour de la cour, en démarrant quand il criait « Hue! » et en s'arrêtant quand il disait « Hô! ».

Plus tard, il confia à Père ce qui s'était passé, pensant que toute personne armée d'une telle patience avec des veaux l'était assez pour avoir la permission d'étriller les poulains. Mais Père ne semblait pas être de cet avis; il se contenta d'approuver :

— C'est bien, mon fils. Patience et longueur de temps viennent à bout de toute chose. Continue dans cette voie, et tu auras bientôt une bonne paire de bœufs.

Le samedi suivant, Star et Bright se comportèrent parfaitement bien. Ils obéissaient sans qu'il eût besoin de faire claquer le fouet, mais il le faisait néanmoins — par plaisir.

Ce samedi-là, les deux petits Français, Pierre et Louis, vinrent lui rendre visite. Le Père de Pierre était Lazy John et celui de Louis, French Joe. Ils avaient beaucoup de frères et sœurs. Tous habitaient les petites maisons de rondins, au milieu des bois. Ils passaient leur temps à pêcher, à chasser et à cueillir des baies sauvages. Ils n'étaient jamais obligés d'aller à l'école, mais ils venaient souvent travailler ou jouer avec Almanzo.

Ils allèrent regarder Almanzo qui faisait parader ses petits veaux dans la cour. Star et Bright se conduisaient si bien, qu'Almanzo eut une idée géniale. Il alla chercher la magnifique luge qui lui avait été offerte pour son anniversaire et, avec un perçoir, fora un trou dans la barre de traverse placée à l'avant, entre les patins. Il prit ensuite l'une des chaînes de Père et l'une des clavettes d'essieu de son grand bobsleigh, puis il attela les veaux.

Il y avait un petit anneau de métal sous leur joug, au centre, tout comme sous les grands jougs. Almanzo passa le manche de la luge dans le petit anneau, jusqu'à la petite traverse qui servait de poignée; celle-ci empêchait le manche de s'introduire trop loin dans l'anneau. Il attacha ensuite l'un des bouts de la chaîne à l'anneau, enroula l'autre bout autour de la clavette d'essieu enfoncée dans le trou de la barre de traverse, et la fixa.

De la sorte, quand Star et Bright avanceraient, ils tireraient la luge au moyen de la chaîne; quand ils s'arrêteraient, le manche rigide de la luge, retenu dans l'anneau par la petite barre de poignée, l'empêcherait de glisser davantage.

— Allez, Louis, monte sur la luge, dit Almanzo.

— Non, c'est moi l' plus grand! lança Pierre en repoussant Louis, j'y vais le premier.

— Il vaut mieux pas, remarqua Almanzo. Quand les veaux vont sentir le poids, ils sont capables de se sauver. Laisse Louis y aller en premier, il est plus léger.

— Non, j' veux pas, s'écria Louis.

— Tu f'rais mieux d'y aller, conseilla Almanzo.

— Non!

— T'as peur?

— Oui, il a peur, affirma Pierre.

— J' n'ai pas peur. Je n' veux pas monter, c'est tout.

— Si, il a peur, insista Pierre en ricanant.

— Oui, c'est vrai, renchérit Almanzo.

Louis rétorqua que c'était faux.

— Tu as une peur bleue, reprirent Almanzo et Pierre en chœur. Ils lui dirent que c'était une poule mouillée, un bébé; Pierre lui conseilla d'aller retrouver sa maman, si bien qu'à la fin, Louis s'assit sur la luge avec précaution.

Almanzo fit claquer son fouet et ordonna « Hue! ». Star et Bright avaient à peine démarré qu'ils s'arrêtèrent. Ils s'efforçaient de tourner la tête pour voir ce qui se passait derrière eux, mais Almanzo répéta sévèrement « Hue! ». Cette fois, ils ne s'arrêtèrent point. Almanzo marchait à leurs côtés, tout en criant « Huhau! » et en faisant claquer le fouet, puis, à distance, il leur fit faire le tour de la cour. Pierre courut derrière la luge pour y monter, lui aussi. Les veaux continuaient à bien se comporter. Almanzo ouvrit donc la porte de la cour.

Effrayés, Pierre et Louis descendirent d'un bond.

— Mais ils vont se sauver! s'exclama Pierre.

Almanzo, indigné, répliqua :

— Je crois tout de même savoir comment manier des veaux qui sont à moi.

Il regagna sa place auprès de Star, fit claquer le fouet et ordonna « Hue! ». Il fit directement sortir Star et Bright de la cour qui n'offrait aucun danger, pour les lancer dans le vaste et large monde, étincelant sous la neige.

Il cria « Dia! » puis « Huhau! », leur fit longer la maison et gagner la route. Quand il dit « Hô! », ils s'arrêtèrent. Pierre et Louis étaient à présent surexcités. Ils se jetèrent sur la luge, mais Almanzo qui avait l'intention d'y monter, lui aussi, les fit se glisser à l'arrière. Il prit place à l'avant; Pierre se cramponnait à lui et Louis à Pierre. Tous trois gardaient les jambes bien tendues, de part et d'autre de la luge, pour ne pas toucher la neige. Almanzo faisait claquer son fouet avec fierté, tout en criant « Hue! ».

Star et Bright, la queue dressée, levaient haut

leurs sabots, la luge rebondissait en l'air, quand tout arriva soudain.

— Meuh-euh-euh! meugla Star. Meuh-euh-euh-euh! répondit Bright.

Là, juste devant le nez d'Almanzo, des sabots volaient, des queues fouettaient l'air et, tout près de son crâne, deux arrière-trains allaient, lancés dans un galop triomphal. « Hô! » hurla Almanzo, « Hô, hô! ».

— Meuh-euh! fit Bright. Meuh-euh-euh! reprit Star.

C'était beaucoup plus rapide que de glisser au bas de la colline. Ce n'était qu'une mêlée d'arbres, de neige, de pattes arrière. Chaque fois que la luge retombait sur le sol, les dents d'Almanzo s'entrechoquaient.

Bright galopait plus vite que Star; ils quittaient la route, la luge capotait. Almanzo hurla « Dia! Dia! » et plongea, tête en avant, dans la neige en vociférant « Dia! ».

Il avait de la neige plein la bouche, il la recracha puis remonta, tant bien que mal, à quatre pattes.

Tout était silencieux. La route était déserte. Les veaux, la luge, tout avait disparu. Pierre et Louis, enfouis sous la neige, se relevaient. Louis jurait en français, mais Almanzo ne lui prêtait pas attention. Pierre, bredouillant, s'essuya le visage et s'écria enfin :

— Sacrebleu! J' croyais qu' t'avais dit qu' tu savais conduire tes veaux. Ils se sont peut-être pas sauvés, hein?

Tout au bas de la route, près du monticule de neige qui recouvrait la clôture, Almanzo aperçut le dos roux des veaux à demi ensevelis sous les congères.

— Ils se sont pas sauvés, répliqua-t-il. Ils n'ont fait que courir, ils sont là-bas.

Il descendit les voir de près. Seuls la tête et le dos dépassaient. Le joug tout de guingois, le cou de travers dans les arceaux, leurs mufles rapprochés, ils regardaient de leurs grands yeux étonnés. Ils semblaient se demander l'un à l'autre « Que s'est-il passé? ».

Pierre et Louis aidèrent à les dégager, ainsi que la luge. Almanzo redressa le joug et la chaîne puis, debout devant eux, leur dit « Hue! » tandis que ses compagnons les poussaient à l'arrière. Les veaux grimpèrent jusqu'à la route, précédés d'Almanzo qui les conduisit vers l'étable. Ils avançaient sans se dérober. Almanzo, aux côtés de Star, faisait claquer son fouet et lançait des ordres auxquels ils obéissaient sans broncher. Pierre et Louis, qui ne voulaient plus remonter, marchaient derrière.

Almanzo les installa dans leur box et leur donna, à chacun, un petit épi de maïs; il accrocha le fouet au clou, essuya la chaîne et la

108

clavette et les replaça, là où Père les avait laissées. Quand il eut terminé, il proposa à Pierre et Louis de s'asseoir derrière lui sur la luge, et tous trois s'amusèrent à dévaler la colline jusqu'à l'heure des corvées.

Ce soir-là, Père lui demanda :

— Alors, fils, tu as eu des petits ennuis, cet après-midi ?

— Non, répondit Almanzo, mais je viens de réaliser qu'il fallait que j'apprenne à Star et Bright comment conduire, quand je monte en luge.

C'est ce qu'il fit, dans la cour.

CHAPITRE 10

LE RETOUR
DU PRINTEMPS

Les jours rallongeaient, mais le froid se faisait plus vif. Père avait coutume de dire :

« *Quand le jour grandit*
Le froid durcit. »

La neige commençait enfin à ramollir sur les versants exposés au sud et à l'ouest. A midi, l'eau s'égouttait des glaçons. La sève montait dans les arbres. Il était temps de faire le sucre.

Par les matins froids, juste avant le lever du

soleil, Père et Almanzo se mettaient en route pour le bois d'érables. Père portait, sur ses épaules, une grande palanche en bois et Almanzo, une plus petite. Des lanières d'écorce de bois-cuir, terminées par un grand crochet, pendaient à leurs extrémités, et un gros baquet de bois était suspendu à chacun des crochets.

Dans chaque érable, Père avait foré un petit trou dans lequel il avait introduit un petit auget de bois. La sève sucrée s'écoulait goutte à goutte des augets, dans de petits seaux.

Allant d'un arbre à l'autre, Almanzo vidait la sève dans ses gros baquets. La charge pesait aux deux bouts de la palanche posée sur ses épaules, mais, des deux mains, il maintenait les baquets d'aplomb pour les empêcher de balancer. Quand ils étaient pleins, il allait les vider dans le grand chaudron.

Sous l'énorme chaudron accroché à une perche entre deux arbres, Père entretenait un ardent feu de joie, pour faire bouillir la sève.

Almanzo adorait marcher dans les bois sauvages et glacés. Il foulait la neige où nul n'avait encore posé le pied et où seules ses empreintes se dessinaient derrière lui. Il vidait activement les petits seaux dans les baquets, et chaque fois qu'il avait soif, buvait un peu de cette sève sucrée et glacée qui coulait en mince filet.

Il aimait retourner devant le feu ronflant; il

l'attisait et regardait les étincelles voler tout alentour; il se chauffait les mains et le visage à la chaleur brûlante, humait le parfum de la sève en train de bouillir, puis repartait dans les bois.

A midi, toute la sève bouillait dans le chaudron. Almanzo s'asseyait auprès de Père qui ouvrait le récipient du déjeuner. Adossés contre une pile de rondins, les jambes allongées devant le feu, ils mangeaient tout en parlant. La neige, la glace et les bois sauvages les cernaient de toutes parts, mais ils avaient bien chaud et ressentaient une impression de bien-être.

Une fois le repas terminé, Père restait près du feu pour surveiller la sève, pendant qu'Almanzo s'en allait à la cueillette des baies de wintergreen [1].

Sur tous les talus faisant face au midi, les baies, d'un rouge vif, étaient bien mûres, au sein de leurs épaisses feuilles vertes recouvertes de neige. Après avoir ôté ses moufles, il la balayait délicatement de ses mains nues, découvrant les grappes rouges dont il se gorgeait. Les baies glacées éclataient sous la dent, laissant jaillir leur jus plein d'arôme.

Rien n'était aussi délicieux pour Almanzo que

---

1. Petit arbuste de l'Amérique du Nord, encore appelé : thé du Canada, à feuilles persistantes et dont les baies sont comestibles.

112

les baies de wintergreen cueillies sous la neige.

Ses doigts étaient engourdis et rougis par le froid, ses habits, couverts de neige, mais jamais il ne quittait un endroit, tant qu'il ne l'avait pas entièrement dépouillé de ses fruits.

Quand le soleil disparaissait derrière les troncs des érables, Père jetait un peu de neige sur le feu qui, bientôt, mourait en crépitant. Avec sa louche, il versait le sirop brûlant dans les baquets. Tous deux ajustaient à nouveau la palanche sur leurs épaules et s'en retournaient, ainsi chargés, à la maison.

Ils transvasaient le sirop dans la grande bassine de Mère, posée sur le fourneau de cuisine. Almanzo allait ensuite s'occuper des bêtes, pendant que Père repartait dans les bois chercher le reste du sirop.

Après le dîner, le sirop était prêt à se transformer en sucre. Mère prenait une grosse cuillère et le coulait dans des pots à lait, d'une contenance d'un litre et demi, pour le laisser refroidir. Au matin, chacun d'eux contenait un gros pain de sucre d'érable bien dur. Elle démoulait les pains ronds, d'un brun doré, avant de les mettre en réserve sur les étagères supérieures du cellier.

Jour après jour, la sève montait; chaque matin Almanzo partait avec Père la recueillir et la faire bouillir; chaque soir, Mère la faisait prendre en sucre. Enfin, la dernière cuite fut conservée dans des pichets, en cave — ce fut la réserve de sirop pour l'année.

Un jour qu'Alice rentrait de l'école, elle sentit Almanzo et s'écria :

— Oh, tu as mangé des baies de wintergreen!

Ce n'était pas juste, pensait-elle, de devoir aller en classe pendant qu'Almanzo récoltait la sève et se régalait de baies.

— Les garçons ont toujours la belle part, dit-elle en maugréant.

Elle lui fit promettre de ne pas toucher aux pentes qui longeaient la rivière Trout, au-delà du pré où l'on mettait les moutons en pâture.

Ils y allèrent donc ensemble, le samedi. Quand Almanzo découvrait une grappe, il criait à tue-tête et quand Alice en trouvait une, elle appelait d'une voix aiguë; parfois, ils partageaient et d'autres fois, non. Ils exploraient à quatre pattes ces versants orientés au sud et se gavaient de baies de wintergreen, tout au long de l'après-midi.

Un soir, Almanzo rapporta à la maison, un seau plein de leurs épaisses feuilles vertes. Alice les tassa dans une grande bouteille que Mère remplit de whisky et mit de côté. Ce fut sa liqueur de wintergreen pour parfumer les gâteaux et les biscuits.

Chaque jour la neige fondait un peu plus. Les

sapins et les cèdres la secouaient de leurs rameaux. Elle tombait par petits paquets des branches dénudées des chênes, des érables et des hêtres. L'eau, qui dégouttait des glaçons, criblait de trous la neige entassée le long des murs des dépendances et de la maison. Les glaçons finissaient eux-mêmes par tomber en s'écrasant sur le sol.

Çà et là, la terre apparaissait en taches sombres et mouillées, qui s'étendaient chaque jour davantage. Bientôt, seuls les chemins très fréquentés demeurèrent encore blancs, et un peu de neige resta amoncelée sur les tas de bois et au pied des façades, au nord. Puis, le trimestre d'hiver prit fin, le printemps était revenu.

Un beau matin, Père se rendit à Malone. Il rentra en toute hâte avant midi et, sans descendre du boghei, cria la nouvelle — les acheteurs de pommes de terre, venus de New York, étaient en ville!

Royal courut aider à atteler les chevaux au chariot; Alice et Almanzo, de leur côté, coururent chercher des paniers dans le bûcher. Ils les firent rouler au bas des escaliers de la cave, puis commencèrent à les remplir, aussi vite que possible, de pommes de terre. Ils en avaient déjà deux paniers pleins quand Père avança le chariot devant la porte de la cuisine.

La course, alors, commença. Père et Royal

remontaient rapidement les paniers, les déversaient dans le chariot; Almanzo et Alice se dépêchaient d'en remplir d'autres, plus vite qu'ils n'étaient emportés.

Almanzo essayait d'en faire plus qu'Alice, mais elle travaillait à une allure telle, que, déjà, elle retournait vers le casier alors que sa large jupe tournoyait encore du côté opposé. Lorsqu'elle rejetait ses boucles en arrière, ses mains, couvertes de terre, laissaient des traces sur ses joues. Almanzo se mit à rire en voyant son visage sale. A son tour, elle se moqua de lui :

— Regarde-toi dans la glace! tu es encore plus sale que moi!

Ils ne cessaient de garnir les paniers. Père et Royal n'avaient jamais à attendre. Quand le chariot fut plein, Père se dépêcha de partir.

Il ne revint qu'au milieu de l'après-midi. Royal, Almanzo et Alice firent une autre charretée pendant qu'il prenait un petit repas froid, puis il emporta son nouveau chargement. Ce soir-là, Alice aida les garçons à faire les corvées. Père fut absent au dîner; il ne rentra pas pour l'heure du coucher. Royal veilla à l'attendre. Tard dans la nuit, Almanzo entendit les roues du chariot. Royal sortit aider Père à étriller et bouchonner les chevaux, fatigués après cette dure journée de labeur.

Le lendemain matin et le surlendemain, tous

116

commencèrent à charger les pommes de terre à
la lueur de la chandelle. Avant le lever du soleil,
Père avait emporté le premier chargement. Le
troisième jour, le train partit pour la ville de
New York — toutes les pommes de terre de
Père étaient dans le convoi!

— Cinq cents boisseaux à un dollar le boisseau, annonça-t-il à Mère, au cours du dîner. Tu
vois, quand les pommes de terre étaient bon
marché, l'automne dernier, je t'avais dit qu'elles

se vendraient à un bon prix, au printemps.

Cela représentait cinq cents dollars à déposer à la banque. Ils étaient tous pleins d'admiration pour Père, qui cultivait de si bonnes pommes de terre et qui savait bien quand les emmagasiner et quand les vendre.

— C'est une jolie somme, constata Mère, radieuse. Ils étaient tous contents, mais elle ajouta, peu après :

— Bien, maintenant que nous en avons fini avec ça, demain matin de bonne heure, nous commencerons à faire le ménage à fond.

Almanzo détestait faire le grand nettoyage. Il avait pour mission de déclouer les semences de tapissier, plantées tout autour des bords de kilomètres de tapis. Après quoi, on les suspendait sur des cordes à linge, en plein air, où il devait les battre avec un long bâton. Petit, il s'était amusé à passer dessous en courant, faisant croire qu'il s'agissait de tentes. Mais maintenant qu'il avait neuf ans, il devait taper ces tapis, sans relâche, jusqu'à ce que plus aucun grain de poussière n'en sortît.

Dans la maison, tout était déplacé, tout était brossé, récuré, ciré. Tous les rideaux étaient décrochés, tous les matelas de plumes d'oie étaient sortis au-dehors pour être aérés, toutes les couvertures et les courtepointes étaient lavées. Du matin au soir, Almanzo courait, pompait l'eau, cherchait du bois, étalait de la paille propre sur les planchers récurés, aidait à y étendre à nouveau les tapis dont il reclouait tous les bords.

Il passa des jours et des jours dans la cave. Il aida Royal à vider les casiers à légumes. Ils mirent à l'écart toutes les pommes, les carottes et les navets gâtés. Ils replacèrent tout ce qui n'était pas abîmé dans quelques caisses que Mère avait nettoyées et rangèrent les autres dans le bûcher. Ils sortirent des pots, des jarres, des pichets, si bien que la cave fut presque vide. Mère en lessiva le sol et les murs, puis Royal versa de l'eau dans des seaux emplis de glu et Almanzo la remua jusqu'à ce qu'elle cessât de bouillonner et devînt bien blanche. Ils en badigeonnèrent la cave entière — c'était fort amusant.

— Miséricorde! s'écria Mère en les voyant remonter. Est-ce qu'il y en a autant sur les murs de la cave que sur vous?

En séchant, toute la cave prit un aspect neuf, propre et blanc comme neige. Mère alla remettre ses pots à lait sur les étagères bien nettoyées. Les moules à beurre furent frottés comme il faut avec du sable et mis à sécher au soleil. Almanzo les disposa en un rang, sur le sol tout propre de la cave, pour qu'on pût y mettre le beurre qui serait fabriqué au cours de l'été.

Dehors, les lilas et les arbrisseaux de boules-de-neige étaient en fleurs. Les violettes et les boutons d'or fleurissaient dans les prés verdoyants. Les oiseaux construisaient leurs nids. Le moment était venu de commencer les travaux des champs.

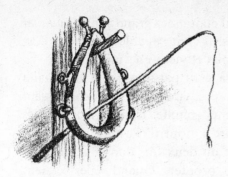

CHAPITRE 11

LE PRINTEMPS

Le petit déjeuner, désormais, était servi avant l'aube. Quand Almanzo faisait sortir son attelage de l'écurie, le soleil se levait par-delà les prairies humides de rosée.

Il était obligé de se percher sur une caisse pour soulever et placer les lourds colliers sur les épaules des chevaux, et enfiler les brides par-derrière leurs oreilles, mais il savait diriger l'attelage. Il avait appris étant petit. Père ne lui permettait ni de toucher les poulains ni de conduire les jeunes chevaux fougueux, mais maintenant qu'il était assez grand pour travailler dans les champs, il était capable de guider Bess et Beauty, les doux et vieux chevaux de trait.

C'étaient de sages et paisibles juments. Quand on les menait au pré, jamais elles ne hennissaient ni ne galopaient comme les poulains. Elles jetaient un regard autour d'elles, s'allongeaient, se roulaient une ou deux fois dans l'herbe, puis se mettaient à brouter. Quand elles étaient harnachées, elles s'avançaient, calmement, l'une derrière l'autre, jusqu'au seuil de l'écurie, reniflaient l'air printanier et attendaient patiemment qu'on vînt attacher les traits. Elles étaient plus âgées qu'Almanzo qui, pourtant, allait sur ses dix ans.

Elles savaient tirer la charrue, sans jamais piétiner le maïs ou tracer les sillons de travers. Elles savaient passer la herse et tourner au bout du champ. A vrai dire, Almanzo eût préféré qu'elles fussent un peu moins savantes.

Il les attela à la herse. A l'automne précédent, les champs avaient été labourés puis recouverts de fumier. A présent, il fallait herser le terrain couvert de mottes.

Bess et Beauty se mirent à l'œuvre avec complaisance, pas trop vite, mais assez toutefois pour herser convenablement. Elles aimaient travailler, au printemps, après le long hiver passé debout dans les stalles. Elles tiraient la herse sur toute la longueur du champ, tandis qu'Almanzo marchait derrière en tenant les rênes. Au bout du sillon, il faisait tourner l'attelage, plaçait la herse de façon telle que les dents mordaient à peine sur la bande de terre déjà égalisée, faisait claquer les rênes sur la croupe des chevaux, ordonnait « Hue! » et tous trois repartaient.

Par toute la campagne, d'autres enfants, eux aussi, travaillaient dans les champs, retournant la terre humide face au soleil. Loin au nord, à la lisière du ciel, le fleuve du Saint Laurent n'était qu'un filet d'argent, les forêts, des nuages d'un vert délicat. Les écureuils folâtraient, les oiseaux sautillaient en gazouillant sur les clôtures de pierre. Almanzo allait, sifflotant derrière son attelage.

Quand il eut achevé de herser tout le champ dans un sens, il passa la herse en sens inverse. Les dents affilées, brisant les mottes, peignaient profondément la terre qu'il fallait partout rendre lisse, légère, meuble.

Bientôt, Almanzo eut trop faim pour pouvoir siffler. Il se sentait de plus en plus affamé. Il lui semblait que midi n'arriverait jamais. Il avait dû faire des kilomètres et des kilomètres, pensait-il; pourtant le soleil paraissait ne point se déplacer, les ombres ne pas du tout changer. Il mourait de faim.

Enfin, le soleil brilla haut dans le ciel, les ombres avaient toutes disparu. Almanzo fit encore un rang, puis un autre et finit par entendre les trompes sonner de tous côtés. Clair et joyeux lui parvint le son de la grande trompe en étain avec laquelle Mère annonçait les repas.

Bess et Beauty dressèrent les oreilles et avancèrent avec plus d'entrain. Elles s'arrêtèrent à la lisière du champ, en vue de la maison. Almanzo détacha les traits, les enroula et, laissant la herse sur place, grimpa sur le large dos de Beauty.

Il descendit jusqu'à la petite maison de pompage pour y faire boire les chevaux. Il les installa dans leurs stalles, ôta leurs rênes et leur donna leur ration de céréales. Un homme de cheval, digne de ce nom, se doit de toujours prendre soin de ses chevaux avant de manger ou de se reposer lui-même. Il fit vite cependant.

Comme le déjeuner fut bon! Comme il put manger! Père remplit plusieurs fois son assiette, et Mère, souriante, lui donna deux parts de tourte aux pommes.

Il se sentait mieux lorsqu'il retourna travailler, mais l'après-midi lui parut beaucoup plus long que la matinée. Il était exténué quand, au soleil couchant, il redescendit à cheval vers les dépendances pour s'occuper des bêtes. Le soir, au dîner, il tombait de sommeil et monta se coucher dès qu'il eut terminé son repas. C'était si bon de s'allonger dans le doux lit. Il s'endormit profondément, avant même d'avoir pu remonter sur lui la courtepointe.

Une minute à peine s'était écoulée que, déjà, la lumière de la chandelle brillait dans l'escalier; Mère appelait. Un jour nouveau commençait.

Il n'y avait pas de temps à perdre, pas de temps à gaspiller à jouer ou se reposer. La vie de la terre éclate soudainement, au printemps. Toutes les graines de mauvaises herbes et de chardons, tous les rejets de vigne sauvage, de buissons et d'arbres cherchent à envahir les champs. Les paysans doivent les combattre à la herse, à la charrue et à la houe; il leur faut planter les bonnes graines rapidement.

Almanzo était un petit soldat au cœur de cette grande bataille. Du matin au soir il travaillait, du soir au matin il dormait, pour se relever et travailler à nouveau.

Il hersa le champ de pommes de terre jusqu'à ce que la terre fût meuble et bien égalisée, et que chaque petite pousse de mauvaise herbe fût détruite. Il aida ensuite Royal à sortir les pommes de terre de semence du caisson, en cave, et à les couper en morceaux, en ayant soin de laisser deux ou trois yeux sur chacun d'eux.

Les plants de pommes de terre ont des fleurs et des graines, mais nul ne sait quelle sorte de pomme de terre peut donner une graine. Une seule pomme de terre a été à l'origine de toutes les pommes de terre d'une même espèce que l'on a pu cultiver par la suite. La pomme de terre n'est pas une graine, mais une partie de la racine d'un plant. Coupez-la, plantez les morceaux, et vous obtiendrez toujours d'autres pommes de terre exactement comme elle.

Il y a, dans chaque pomme de terre, de petits points ressemblant à des yeux. A partir de ces yeux, les petites racines poussent vers le bas, dans le sol, alors que de petites feuilles remontent à la surface chercher le soleil. Elles se nourrissent du morceau de pomme de terre, tant qu'elles sont petites, et avant d'être assez fortes pour tirer leur nourriture de la terre et l'air.

Père marquait le champ. Le marqueur était constitué d'un rondin garni d'une rangée de piquets de bois, fichés à un mètre de distance les uns des autres. Un cheval tirait le rondin derrière lui, où les piquets creusaient de petits sillons. Père marqua le champ dans la longueur puis dans la largeur, de sorte que les sillons entrecroisés formaient des petits carrés. Alors commença la plantation.

Père et Royal prenaient leurs houes; Alice et Almanzo portaient les seaux emplis de morceaux de pommes de terre. Ils allaient le long des raies, Almanzo devant Royal et Alice devant Père.

A l'angle de chaque carré, là où les sillons se croisaient, Almanzo laissait tomber un morceau de pomme de terre. Il lui fallait le placer exactement au coin, afin que les lignes fussent bien droites et que l'on pût ensuite passer la charrue. Royal le recouvrait de terre qu'il tassait fermement avec la houe. Père, derrière Alice, recouvrait lui aussi chacun des plants qu'elle laissait tomber.

C'était une tâche amusante. Une bonne odeur montait des champs de trèfle et de la terre fraîchement retournée. Alice était jolie et gaie; la brise faisait voler ses boucles et danser sa crinoline. Père était joyeux. Tous quatre parlaient tout en travaillant.

Alice et Almanzo s'efforçaient de prendre un peu d'avance, dans l'espoir de gagner une minute, au bout du rang, pour chercher des nids d'oiseaux ou pourchasser un lézard qui se faufilait entre les interstices des pierres de la clôture. Mais Père et Royal n'étaient jamais bien loin derrière.

— Allons, dépêche-toi, fils, dépêche-toi! lançait Père.

Ils se dépêchaient donc, et quand ils étaient assez loin en tête, Almanzo arrachait un brin d'herbe qu'il faisait siffler entre ses pouces. Alice essayait, sans y parvenir, mais elle arrivait à siffler en plissant les lèvres. Royal la taquinait :

*« Filles qui sifflent, poules qui cocorico chantent
Sont toujours sur une mauvaise pente. »*

Pendant trois jours, matin et après-midi, ils allèrent de long en large à travers les champs. Toutes les pommes de terre étaient enfin plantées.

Ensuite, Père sema le grain. Il sema un champ de blé pour le pain blanc, un champ de seigle pour le pain indien et un champ d'avoine mélangée à des pois du Canada pour nourrir les chevaux et les vaches, durant l'hiver à venir.

Pendant que Père semait, Almanzo suivait plus loin avec Bess et Beauty qui tiraient la herse pour recouvrir le semis de terre. Il n'était pas encore capable de semer le grain. Il lui faudrait s'exercer longtemps avant de savoir répandre les graines uniformément. Voilà qui était difficile à faire.

Père portait le lourd sac de graines, suspendu à une bandoulière passée sur son épaule gauche. Tout en marchant, il prenait les petites graines par poignées, puis, d'un large geste arrondi du bras et d'un tour du poignet, il les laissait voler de ses doigts. Son bras et ses pas allaient en mesure, si bien que, lorsqu'il avait achevé d'ensemencer un champ, chaque centimètre de terrain était pourvu de graines, régulièrement éparpillées, sans qu'il y en eût jamais trop ni trop peu.

Elles étaient trop petites pour qu'on pût les voir sur le sol, et avant qu'elles ne lèvent, personne ne pouvait dire à quel point un semeur était habile. Père raconta à Almanzo l'histoire d'un garçon paresseux et bon à rien que l'on avait envoyé semer un champ. Ce garçon, qui n'avait aucune envie de travailler, avait vidé tout son sac au même endroit, puis s'en était allé se baigner. Personne ne l'avait vu faire. Plus tard, il avait passé la herse. Personne ne savait ce qu'il avait fait, mais les graines, elles, le savaient, la terre le savait, et quand le garçon eut lui-même oublié sa méchanceté, elles dévoilèrent la vérité

— les mauvaises herbes prirent possession du champ.

Quand tout le grain fut semé, Almanzo et Alice plantèrent les carottes. Ils portaient, en bandoulière, de grands sacs pareils à celui de Père, remplis de petites graines de carottes, rondes et rouges. Père avait marqué le champ dans le sens de la longueur, mais cette fois, avec un marqueur dont les dents n'étaient espacées que de cinquante centimètres l'une de l'autre. Alice et Almanzo, un pied de chaque côté du sillon, les graines de carottes au côté, allaient et venaient dans le grand champ.

Il faisait si chaud, maintenant, qu'ils pouvaient aller nu-pieds. Ils aimaient sentir l'air et le doux contact de la terre sur leurs pieds nus. Ils laissaient tomber peu à peu les graines le long des sillons, les recouvraient légèrement de terre avec leurs pieds et la tassaient.

Almanzo arrivait à voir ses pieds, mais Alice ne pouvait pas, bien sûr, car les siens disparaissaient sous ses jupes. Celles-ci étaient si largement arrondies, qu'il lui fallait les ramener en arrière pour pouvoir faire tomber les graines comme il faut dans les raies.

Almanzo lui demanda si elle ne voulait pas être un garçon. Elle répondit que si, qu'elle aimerait bien; puis elle dit que non, qu'elle n'aimerait pas.

— Les garçons ne sont pas aussi beaux qu' les filles, et ils ne peuvent pas porter de rubans.

— Ça m'est bien égal d'être beau ou pas, répliqua Almanzo, et d' toutes façons, j'aimerais pas mettre d' rubans.

— Eh bien, moi, j'aime faire le beurre, et j'aime faire les courtepointes en patchwork, et faire la cuisine, et coudre et filer la laine. Les garçons, eux, ne peuvent pas faire ça. Et même si j' suis une fille, j' peux planter les pommes de terre, semer les carottes et conduire les chevaux, aussi bien qu' toi.

— Oui, mais tu n'arrives pas à faire d' la musique avec un brin d'herbe, rétorqua Almanzo.

Arrivé au bout du rang, il regarda les jeunes feuilles fripées du frêne et demanda à Alice si elle savait à quel moment il fallait planter le maïs. Elle l'ignorait. Alors, il le lui expliqua. On plante le maïs quand les feuilles du frêne sont aussi grandes que les oreilles d'un écureuil.

— Un écureuil gros comment? fit Alice.

— Un écureuil normal.

— Eh bien, ces feuilles sont aussi grosses que celles d'un bébé écureuil, et pourtant, ce n'est pas le moment de planter le maïs.

Pendant un instant, Almanzo ne sut que penser, puis il déclara :

— Un bébé écureuil n'est pas un écureuil, c'est, si tu veux, comme un chaton.

— C'est tout d' même un écureuil.

— Non, c'est pas vrai. Les petits chats sont des chatons, les petits renards sont des renardeaux. Or, un chaton n'est pas un chat, un renardeau n'est pas un renard, donc, un bébé écureuil n'est pas un écureuil.

— Oh, ça alors! fit Alice.

Quand les feuilles du frêne furent assez grandes, Almanzo aida à planter le maïs. Le champ avait été marqué avec le marqueur à pommes de terre. Père, Royal et Almanzo l'ensemencèrent tous ensemble.

Ils portaient de grands sacs de graines de maïs noués autour de la taille, tout comme l'on noue un tablier, et s'étaient munis de houes. Au coin de chaque carré, à l'intersection des sillons, ils grattaient la terre avec la houe, y creusaient un trou peu profond dans lequel ils laissaient tomber deux graines. Ils les recouvraient de terre qu'ils tassaient soigneusement.

Père et Royal travaillaient vite. Ils répétaient, à chaque fois, exactement les mêmes mouvements : trois vives entailles, un léger coup de houe, l'éclair d'une main, une petite pelletée de terre et deux légers coups avec le plat de la houe. Cette butte de maïs était plantée. Puis tous deux faisaient un pas en avant et recommençaient.

Almanzo n'avait jamais planté de maïs aupa-
ravant. Il ne maniait pas la houe avec autant
d'habileté. Là où Père et Royal faisaient un pas,
il lui fallait en faire deux, en courant, car ses
jambes étaient plus courtes que les leurs. Ils
étaient toujours en avance sur lui. Il n'arrivait
pas à garder leur cadence, et chaque fois, l'un
des deux terminait son rang pour qu'il pût
amorcer le suivant en même temps qu'eux. Il
trouvait cela déplaisant. Il savait, toutefois, qu'il
serait capable de planter le maïs, tout aussi
rapidement que quiconque, lorsque ses jambes
auraient grandi.

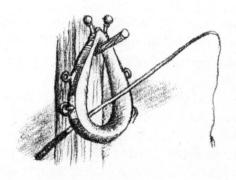

CHAPITRE 12

L'ÉTAMEUR AMBULANT

Un soir, après le coucher du soleil, Almanzo vit un cheval blanc grimper la côte en tirant une grosse carriole rouge vif derrière lui. Il cria :

— V'là l'étameur ! V'là l'étameur !

Alice, son tablier rempli d'œufs, sortit en courant du poulailler. Mère et Eliza Jane vinrent à la porte de la cuisine. Royal sortit précipitamment de la petite maison de pompage, tandis que les jeunes chevaux passaient la tête par la lucarne de leur stalle, pour saluer d'un hennissement le grand cheval blanc.

Nick Brown, l'étameur ambulant, était un homme rondelet et enjoué, qui contait des histoires et chantait des chansons. Au printemps, il sillonnait toutes les routes de la région, apportant des nouvelles d'un peu partout.

Sa carriole ressemblait à une petite maison, qui se balançait sur de résistantes courroies, entre quatre hautes roues. Il y avait une porte de chaque côté et, à l'arrière, une plate-forme inclinée qui rappelait la queue d'un oiseau. Elle était maintenue dans cette position au moyen de sangles de cuir qui se bouclaient sur le toit, lequel était surmonté d'une galerie ouvragée. Le tout était peint en rouge vif avec de magnifiques inscriptions et enjolivures d'un jaune éclatant. Nick Brown conduisait haut perché à l'avant, sur un siège rouge placé au-dessus de la croupe du robuste cheval blanc.

Almanzo, Alice, Royal et même Eliza Jane attendaient quand la carriole vint s'immobiliser devant la véranda de la cuisine. Mère, debout dans l'embrasure de la porte, souriait.

— Comment allez-vous, Monsieur Brown! lança-t-elle. Mettez le cheval à l'écurie et venez tout de suite, le dîner est prêt!

Père cria de l'étable :

— Rentrez dans la remise à cabriolets, Nick, il y a toute la place qu'il faut!

Almanzo détela le grand cheval au beau poil

luisant, l'installa dans une stalle, lui donna une double ration d'avoine et du fourrage en abondance. M. Brown l'étrilla, le brossa méticuleusement, puis le bouchonna avec des linges propres. C'était un homme consciencieux qui s'y connaissait quant à la façon de soigner les chevaux. Après cela, il alla voir toutes les bêtes et donna son opinion à leur sujet. Il admira Star et Bright et fit à Père des compliments sur ses poulains.

— Vous devriez obtenir un bon prix de ces chevaux qui vont sur leurs quatre ans, lui dit-il. Là-bas, près de Saranac, les maquignons de New York en recherchent justement. La semaine dernière, j'en ai vu un payer deux cents dollars, par tête, pour une paire de chevaux pas du tout mieux que ceux-ci.

Almanzo n'avait pas le droit de se mêler à la conversation des grandes personnes, bien sûr, mais il avait le droit d'écouter. Il ne perdait pas un mot de ce que disait M. Brown. Il savait, aussi, que le moment le plus agréable viendrait après le dîner.

Nick Brown était imbattable quand il s'agissait de raconter des histoires drôles et de chanter des chansons. Il le disait lui-même, et c'était vrai.

— Oui, Monsieur, déclarait-il, je vous parie que je suis capable de faire la pige à n'importe quel homme, et même à plusieurs, quels qu'ils soient. Vous pouvez m'en amener autant que vous voulez. Je ne serai jamais en reste, et quand ils seront tous battus, je raconterai la dernière histoire, et je chanterai la dernière chanson.

Père savait que ce n'était pas un mensonge. Il avait vu Nick le faire, dans le magasin de M. Case à Malone.

Après le dîner, une fois qu'ils furent tous installés auprès du poêle, M. Brown commença. Il était passé neuf heures quand ils allèrent se coucher. Almanzo avait mal aux côtes, tant il avait ri.

Le lendemain, après le petit déjeuner, M. Brown attela le cheval blanc à la carriole et vint se ranger devant la véranda. Il ouvrit les portes peintes en rouge.

A l'intérieur, rien de ce qui se faisait en fer étamé ne manquait. Sur les rayonnages fixés aux côtés, il y avait des séries de seaux, de casseroles et de bols, des moules à gâteaux, des tourtières, des boîtes à pain et des plats de service, le tout en fer étamé étincelant. Au-dessus, accrochés à des cordons, il y avait des tasses et des louches, des écumoires et des tamis, des passoires et des râpes. Il y avait des trompes en étain, des sifflets, des dînettes, des petits moules à pâté et toutes sortes d'animaux miniatures en fer-blanc, peinturlurés de couleurs vives.

M. Brown avait tout fait lui-même, au cours de l'hiver. Chaque objet était en métal épais, bien façonné et solidement soudé.

Mère descendit de la mansarde les grands sacs remplis de chiffons, qu'elle avait mis de côté durant l'année. Elle les vida sur le sol de la véranda. M. Brown examina les bons et propres chiffons de laine et de toile, pendant que Mère regardait attentivement la batterie de cuisine. Ils commencèrent à négocier.

Ils discutèrent et argumentèrent un long moment. Le sol était jonché d'ustensiles reluisants et de piles de chiffons. Pour chaque petit tas que Nick Brown ajoutait au sommet de la grosse pile, Mère réclamait plus d'articles qu'il n'avait l'intention de lui en céder. Tous deux s'amusaient beaucoup à marchander ainsi, tout en plaisantant et en riant. Finalement, M. Brown déclara :

— Allez, Madame, je vous laisse les pots à lait et les seaux, le tamis, la passoire et les trois plats à four, mais pas le plat de service. C'est ma dernière offre.

— Très bien, Monsieur Brown, conclut Mère, alors que personne ne s'y attendait. Elle avait obtenu exactement ce qu'elle désirait. Almanzo savait qu'elle n'avait pas besoin du plat de service. Elle ne s'y était intéressée que pour pouvoir mieux marchander. M. Brown s'en rendait compte, à présent. Il parut surpris et regarda Mère avec respect. Mère était sagace et avisée. Elle l'avait emporté sur M. Brown, mais il était satisfait, lui aussi, car il avait une large provision de bons chiffons pour sa quincaillerie.

Il les rassembla et en fit un ballot qu'il chargea sur la plate-forme relevée, derrière la carriole. La plate-forme et la galerie étaient destinées à recevoir les chiffons qu'il échangeait contre sa marchandise.

M. Brown se frotta les mains et jeta un coup d'œil autour de lui en souriant.

— Allons bon, dit-il, je me demande ce qui pourrait faire plaisir à ces jeunes gens!

Il offrit à Eliza Jane six petits moules à pâté en forme de losange et en donna six, en forme de cœur, à Alice. Pour Almanzo, il choisit une trompe peinte en rouge.

— Merci, Monsieur Brown, dirent-ils tous poliment.

M. Brown grimpa sur son haut siège et prit les rênes entre ses mains. Le grand cheval blanc, bien rassasié, bien brossé et reposé, repartit sans plus attendre. Ils virent la carriole rouge longer la maison puis rejoindre la route en faisant une embardée. M. Brown se mit à siffler.

Mère avait tous ses ustensiles pour l'année à venir. Almanzo avait sa trompe, rouge et sonore. Nick Brown s'éloignait en sifflant, entre les champs bordés d'arbres verts. Jusqu'à son retour, au printemps suivant, ils se souviendraient des nouvelles qu'il avait apportées, ils riraient de ses histoires, et Almanzo, dans les champs derrière son attelage, sifflerait les airs qu'il leur avait chantés.

CHAPITRE 13

LE CHIEN MYSTÉRIEUX

Depuis que Nick Brown avait signalé la présence des maquignons de New York, dans le voisinage, chaque soir, Père soignait tout particulièrement les « quatre ans ». Ils étaient à présent parfaitement dressés, et Almanzo manifestait un tel désir d'aider à les panser, que Père l'y autorisait. Mais il n'avait la permission de pénétrer dans leurs stalles qu'en sa compagnie.

Il étrillait, brossait avec soin leurs flancs bruns et lustrés, leurs hanches lisses et rondes et leurs jambes déliées. Il les bouchonnait ensuite

141

avec des linges propres. Il peignait et tressait leurs crinières et leurs longues queues noires. Avec une petite brosse, il huilait leurs sabots arrondis, au point qu'ils brillaient d'un noir aussi reluisant que le poêle bien astiqué de Mère.

Il prenait bien garde de ne jamais faire de gestes brusques ou de les effrayer. Il leur parlait, tout en travaillant, d'une voix douce et calme. Les poulains mordillaient sa manche de leurs lèvres, fourraient leurs naseaux contre ses poches, dans l'espoir de recevoir les pommes qu'il leur apportait. Ils arquaient le cou lorsqu'il caressait leur nez velouté et leurs yeux brillaient d'un doux éclat.

Almanzo trouvait qu'il n'y avait rien de plus beau ni de plus fascinant, au monde, qu'un joli poulain. Quand il songeait qu'il lui faudrait encore attendre de nombreuses années avant qu'il pût dresser et prendre soin, lui-même, d'un petit poulain, cette pensée lui était insupportable.

Un soir, le maquignon, monté sur son cheval, entra dans la cour. Il était étranger au pays. Père ne l'avait encore jamais vu. Il portait des vêtements de ville, faits d'étoffe tissée à la machine et, avec une petite cravache rouge, tapotait ses grandes bottes cirées. Il avait des yeux noirs, très rapprochés d'un nez pincé, une

142

barbe noire taillée en pointe et une moustache dont les bouts étaient roulés et cirés.

Il avait un bien curieux aspect, cet homme, debout au milieu de la cour, qui effilait plus encore la pointe de sa moustache, d'un air pensif.

Père fit sortir les poulains. Il s'agissait de deux Morgans, parfaitement assortis, exactement de même taille, de même tournure, partout du même brun luisant, avec la même étoile blanche sur le front. Ils cambraient le cou et levaient délicatement leurs petits sabots.

— Quatre ans en mai, sains et sans tare, pas le moindre défaut, énonça Père. Dressés à conduire en simple comme en double. Ils sont vifs, pleins d'énergie et doux comme des agneaux. Une dame peut les conduire sans problème.

Almanzo écoutait. Bien qu'il fût tout excité, il enregistrait attentivement tout ce que Père et le marchand se disaient. Un jour, il ferait le commerce des chevaux, lui aussi.

Le marchand tâta les jambes des poulains, retroussa leurs lèvres, examina leurs dents. Père n'avait rien à craindre : il n'avait pas menti au sujet de leur âge. L'homme prit un peu de recul et regarda Père qui attachait chaque poulain à une longue corde et les faisait marcher au pas, trotter et galoper en cercle autour de lui.

— Regardez cette allure, dit-il.

Les crinières et les queues brillantes ondoyaient au vent; des reflets bruns couraient sur leur robe lisse; ils semblaient à peine toucher le sol de leurs pieds délicats. Ils tournoyaient, sans s'arrêter, comme sur un air de musique.

Le marchand observait. Il cherchait à trouver quelque défaut, mais en vain. Les poulains s'immobilisèrent. Père attendait. Enfin, le maquignon fit une offre : cent soixante-quinze dollars, par tête.

Père remarqua qu'il n'en voulait pas moins de deux cent vingt-cinq dollars. Almanzo savait fort bien qu'il donnait ce chiffre pour en obtenir deux cents dollars. Nick Brown lui avait dit que les maquignons payaient ce prix-là.

Père attela les deux poulains au boghei. Il grimpa sur le siège avec l'acheteur de chevaux, et tous deux s'en allèrent sur le chemin pentu. Les poulains levaient haut la tête, allongeaient le nez. Leurs crinières et leurs queues voltigeaient au vent de leur propre vitesse, leurs jambes au poil moiré allaient de concert, comme s'ils n'avaient fait qu'un. En un instant, le boghei fut hors de vue.

Almanzo savait qu'il devait continuer à s'occuper des bêtes. Il rentra dans l'étable, prit sa fourche, mais la reposa rapidement pour venir surveiller le retour des poulains.

Quand ils revinrent, Père et le maquignon n'étaient pas encore tombés d'accord sur le prix. Père tiraillait sa barbe; le marchand roulait sa moustache. Il se mit à parler de la dépense qu'entraînerait le transport sur New York et des bas prix pratiqués là-bas. Il lui fallait, disait-il, penser à son bénéfice. Il ne pouvait pas offrir plus de cent soixante-quinze dollars.

— Coupons la poire en deux, proposa Père. Deux cents dollars, c'est mon dernier prix.

Le marchand réfléchit puis déclara :

— Je ne peux pas m'en sortir à ce prix-là.

— Bon, dit Père, nous ne sommes pas fâchés pour autant. Nous serons contents de vous garder à dîner.

Il commença à dételer les poulains.

— Là-bas, près de Saranac, ils vendent de meilleurs chevaux que ceux-ci pour cent soixante-quinze dollars, reprit le marchand.

Père ne répondit point. Il acheva de dételer les poulains et les conduisit à leurs stalles. C'est alors que l'homme lança :

— D'accord pour deux cents dollars. J'y perds de l'argent, mais enfin, voilà !

Il sortit de sa poche un portefeuille bien garni et donna deux cents dollars à Père, pour conclure le marché.

— Amenez-les demain, en ville. Je vous donnerai le reste.

Les poulains étaient vendus, au prix qu'en voulait Père.

Le marchand déclina l'invitation à dîner. Quand il fut parti, Père rentra dans la cuisine donner l'argent à Mère.

Elle s'exclama :

— Tu veux dire que nous allons garder tout cet argent à la maison, cette nuit !

— Il est trop tard pour le porter à la banque, répondit Père. Il n'y a pas de danger. Mis à part nous, personne ne sait que l'argent est ici.

— Je n' pourrai pas fermer l'œil de la nuit, c'est sûr !

— Le Seigneur veillera sur nous, dit Père, confiant.

— Oui, mais comme on dit, aide-toi, le Seigneur t'aidera, répondit Mère.

L'heure de la traite était déjà passée. Almanzo dut se dépêcher d'emporter les seaux à l'étable. Si l'on ne trait pas les vaches, matin et soir, à la même heure, elles ne donnent pas autant de lait. De plus, il fallait nettoyer les mangeoires et les boxes et nourrir le bétail. Il était près de huit heures quand tout fut terminé. Mère dut tenir le dîner au chaud.

Le repas fut moins plaisant qu'à l'habitude. Ils éprouvaient tous un pénible sentiment de malaise à propos de l'argent. Mère, qui l'avait tout d'abord caché dans le cellier, le dissimula

146

ensuite dans l'armoire à linge. Après le dîner, Mère entreprit la confection d'une pâte à brioche, qui serait cuite le lendemain, et recommença à se faire du souci au sujet de l'argent. Ses mains volaient, battaient vivement la pâte que l'on entendait faire, plop, plop, sous la cuillère. Elle faisait part de son inquiétude :

— Je ne crois pas que quelqu'un veuille regarder sous les draps, dans l'armoire, mais je vous dis que — QU'EST-CE QUE C'EST !

Ils sursautèrent tous et écoutèrent, sans oser respirer.

— IL Y A QUELQUE CHOSE OU QUELQU'UN QUI RÔDE AUTOUR DE LA MAISON, dit-elle dans un souffle.

Ils regardèrent par les fenêtres — il n'y avait rien que l'obscurité, au-dehors.

— Pfou ! C' n'était rien, dit Père, calmement.

— Je t'assure que j'ai entendu quelque chose !

— Moi pas, affirma Père.

— Royal, ordonna Mère, va jeter un coup d'œil.

Royal ouvrit la porte de la cuisine et scruta dans le noir. Il dit peu après :

— C' n'est rien qu'un chien égaré.

— Chasse-le ! commanda Mère.

Royal sortit et le chassa.

Almanzo aurait beaucoup aimé avoir un chien. Mais un petit chien retourne la terre dans les jardins, fait la chasse aux poules et gobe les œufs. Quant aux gros chiens, il leur arrive de tuer les moutons. Mère prétendait qu'il y avait assez d'animaux dans la maison, sans avoir besoin d'un sale chien.

Elle mit de côté la pâte à brioche. Almanzo se lava les pieds. Quand il travaillait pieds nus, il lui fallait les laver chaque soir. Il n'avait pas terminé, quand ils entendirent tous un bruit furtif sous la véranda, derrière la cuisine.

Mère ouvrait de grands yeux apeurés. Royal la rassura :

— Ce n'est que ce chien.

Il ouvrit la porte. Ils ne virent rien, tout d'abord. Les yeux de Mère étaient plus grands encore. Soudain, ils aperçurent un grand chien efflanqué qui, craintif, reculait dans l'ombre. On voyait ses côtes sous le poil.

— Oh, Mère, le pauvre chien! s'écria Alice. S'il te plaît, est-ce que je peux lui donner juste un petit peu à manger?

— Mon Dieu, mon petit, oui! répondit Mère. Tu le feras partir demain, Royal.

Alice déposa à terre une gamelle de nourriture pour le chien. Il n'osa pas s'en approcher, tant que la porte resta ouverte, mais dès qu'Almanzo l'eut fermée, ils l'entendirent mastiquer. Mère s'assura, par deux fois, que la porte était bien verrouillée.

Quand ils eurent quitté la cuisine, ne laissant que les chandelles, l'obscurité l'envahit. La nuit entrait par les fenêtres de la salle à manger. Mère en ferma les deux portes à clef et alla même vérifier celle du salon, bien qu'elle fût fermée en permanence.

Almanzo resta un long moment éveillé dans son lit, les yeux grands ouverts dans le noir. Il finit par s'endormir et ne sut qu'au matin, quand Mère le lui raconta, ce qui s'était passé durant la nuit.

Elle avait finalement glissé l'argent sous les

chaussettes de Père, dans le tiroir de la commode. A peine était-elle couchée, qu'elle se releva pour le mettre sous son oreiller. Elle pensait ne pas du tout pouvoir dormir, mais elle avait dû s'assoupir cependant, car quelque chose la réveilla au cours de la nuit. Elle se redressa d'un bond dans le lit. Père était profondément endormi.

La lune brillait. Elle distinguait le lilas devant la maison. Tout était silencieux. L'horloge sonna onze heures. Soudain, Mère sentit son sang se glacer ; elle entendait un grognement sourd et féroce.

Elle se leva pour aller regarder à la fenêtre. L'étrange chien était là, l'échine hérissée, montrant ses crocs. On eût dit qu'il voyait quelqu'un dans le bosquet.

Mère resta près de la fenêtre, à écouter et regarder. Il faisait nuit noire sous les arbres, elle ne voyait personne, mais le chien continuait à gronder furieusement en direction du bosquet.

Mère fit le guet. Elle entendit l'horloge sonner les douze coups de minuit, puis longtemps après, une heure. Le chien marchait de long en large, devant la palissade, sans cesser de grogner. Il s'allongea enfin, mais resta aux aguets, la tête relevée, les oreilles dressées. Mère regagna son lit à pas de loup.

A l'aube, le chien avait disparu. Ils partirent à

sa recherche, mais ne purent le trouver nulle part. On voyait les traces de son va-et-vient dans la cour et, de l'autre côté de la palissade, dans le petit bosquet, Père découvrit les empreintes laissées par les bottes de deux hommes.

Il attela sur-le-champ, avant même d'avoir déjeuné, attacha les poulains à l'arrière du boghei et partit pour Malone. Il alla porter les deux cents dollars à la banque. Il remit les deux poulains et reçut les deux cents dollars restants qu'il alla déposer à la banque, également.

A son retour, il dit à Mère :

— Tu avais raison, nous avons bien failli être cambriolés, cette nuit.

La semaine précédente, un fermier des environs de Malone avait vendu un attelage de chevaux et gardé l'argent chez lui. La nuit même, des voleurs avaient forcé sa porte et s'étaient introduits dans sa chambre, durant son sommeil. Après avoir ligoté sa femme et ses enfants, ils l'avaient frappé presque à mort, pour lui faire avouer l'endroit de la cachette. Ils s'étaient enfuis avec l'argent. Le sheriff [1] était à leur recherche.

— Je ne serais pas surpris que ce marchand de chevaux soit mêlé à tout ça, remarqua Père. Qui d'autre que lui savait que nous avions de

1. *Chef de la police (d'un comté).*

151

l'argent chez nous? Mais nous ne pouvons pas le prouver. J'ai fait ma petite enquête, il était à l'hôtel à Malone, cette nuit.

Mère déclara qu'elle resterait persuadée que ce chien mystérieux avait été envoyé par la Providence pour veiller sur eux. Almanzo, pour sa part, pensait qu'il était peut-être resté parce qu'Alice l'avait nourri.

— Il se peut qu'il nous ait été envoyé pour nous mettre à l'épreuve, dit Mère, pensive. Il se peut que le Seigneur ait été miséricordieux envers nous, parce que nous avions été miséricordieux envers lui.

Jamais ils ne revirent ce mystérieux chien. Ce n'était peut-être qu'un pauvre chien perdu, que la nourriture procurée par Alice avait rendu assez vaillant pour retrouver le chemin de sa maison.

CHAPITRE 14

LA TONTE
DES MOUTONS

Maintenant, une herbe drue, douce comme le velours, recouvrait prairies et pâturages; il faisait chaud. Il était temps de tondre les moutons.

Par un matin ensoleillé, Pierre et Louis accompagnèrent Almanzo dans le pré. Ils firent descendre les moutons jusqu'au parc aménagé en lavoir. Celui-ci s'étendait du pâturage verdoyant aux eaux claires et profondes de la rivière Trout. Deux portes s'ouvraient sur le pré, séparées l'une de l'autre par une petite palissade

153

qui divisait l'enclos et descendait jusqu'à la rive.

Pierre et Louis empêchèrent le troupeau de s'échapper pendant qu'Almanzo empoignait l'un des moutons laineux et le faisait entrer par l'une des portes. A l'intérieur de l'enclos, Père et Lazy John s'en saisirent, puis Almanzo en fit entrer un second que Royal et French Joe attrapèrent à leur tour. Les autres moutons bêlaient et regardaient d'un air hébété. Les deux prisonniers, qui tentaient de se dégager, donnaient des coups de patte et bêlaient de façon désespérée; les hommes frottèrent néanmoins leur laine enduite de savon noir et les firent entrer dans l'eau.

Une fois là, ils furent contraints de nager. Les hommes, debout dans le courant rapide, de l'eau jusqu'à la taille, les maintinrent fermement et les nettoyèrent, comme il faut, à la brosse de chiendent. Toute la saleté disparut, emportée avec la mousse vers l'aval.

En voyant cela, tous les autres moutons se mirent à bêler, « Bê-ê-ê! bê-ê-ê! » et cherchèrent à s'enfuir. Almanzo, Pierre et Louis, hurlant des ordres, coururent rassembler le troupeau qu'ils ramenèrent à nouveau devant la porte.

Dès qu'un mouton était propre, les hommes lui faisaient contourner à la nage la palissade de séparation et le soulevaient par l'arrière-train sur la berge, dans l'autre partie de l'enclos. La pauvre bête, ruisselante, sortait en bêlant, mais

154

bientôt sa laine, que le soleil séchait rapidement, devenait blanche et floue.

A mesure que les hommes en relâchaient un, Almanzo en faisait entrer un autre qu'ils saisissaient, savonnaient et tiraient dans l'eau.

Laver les moutons était fort amusant, sauf pour les moutons. Les hommes, dans l'eau, s'éclaboussaient, poussaient des cris, riaient. Les garçons, dans le pré, couraient çà et là, criaient à tue-tête. Ils sentaient la chaleur sur leur dos et la fraîcheur de l'herbe sous leurs pieds nus. Leurs rires paraissaient perdus dans le vaste et doux silence des vertes prairies et des champs.

L'une des brebis donna un coup de tête à John qui tomba assis dans la rivière, la tête sous l'eau. Joe s'écria :

— Dis donc, John, si tu avais un peu de savon dans ta laine, tu serais prêt à être tondu!

Quand vint le soir, tous les moutons étaient lavés. Propres, la toison blanche et floconneuse, ils s'égaillèrent sur la colline, grignotant l'herbe. La prairie ressemblait à un arbrisseau de boules-de-neige en fleurs.

Le jour suivant, John arriva avant le petit déjeuner. Père fit rapidement sortir Almanzo de table. Celui-ci prit une part de tourte aux pommes et s'en fut vers le pré, respirant l'odeur du trèfle et prenant de grosses bouchées de pommes savoureuses et de pâte feuilletée. Il se lécha les doigts, puis rassembla les moutons qu'il conduisit à travers l'herbe humide de rosée, jusqu'à la bergerie, dans l'Etable Sud.

Père l'avait nettoyée et avait fabriqué une sorte de table de travail, sur toute la largeur, à l'une des extrémités. Lazy John et lui-même attrapèrent un mouton, le couchèrent sur la table et commencèrent à tondre la laine à l'aide des longues forces. L'épais tapis de laine blanche, rasé de près, retombait en arrière tout d'une pièce, ne laissant au mouton pour toute vêture que sa peau rose.

Au dernier coup de ciseaux, la toison tomba d'un seul tenant sur la table, tandis que le mouton dénudé descendait d'un bond en lançant force « Bê-ê-ê! ». A ce spectacle, tous les autres bêlèrent à leur tour, mais, déjà, Père et John en tondaient deux autres.

Après que Royal eut enroulé la toison, bien serrée, et l'eut ficelée, Almanzo la monta à l'étage et la déposa sur le plancher du grenier. Il montait et descendait aussi vite que ses jambes le lui permettaient, mais il y avait toujours une toison prête pour lui.

Père et Lazy John étaient de bons tondeurs de moutons. Leurs longues forces cisaillaient la laine avec la rapidité de l'éclair. Elles coupaient ras, sans jamais blesser la peau rose. Voilà qui était dur à faire, car les moutons de Père étaient des Mérinos primés. Les Mérinos ont la plus belle laine qui existe, mais leur peau est partout profondément plissée, si bien qu'il est difficile de détacher toute la laine sans les couper.

Almanzo travaillait vite; il montait les escaliers en courant. Les toisons étaient si lourdes, qu'il ne pouvait en prendre qu'une à la fois. Il n'avait pas l'intention de se distraire, mais lorsqu'il vit la chatte tigrée passer à toute allure avec une souris, il comprit qu'elle l'apportait à ses chatons qui venaient de naître.

Il la suivit en courant et découvrit, tout en haut, sous les avant-toits de la Grande Etable, le

petit nid caché dans le foin avec, dedans, quatre tout petits chatons. La chatte tigrée se pelotonna autour d'eux tout en ronronnant fort. Les fentes noires de ses pupilles s'élargissaient, rétrécissaient puis se dilataient à nouveau. Les chatons avaient de toutes petites bouches roses d'où sortaient de faibles miaulements, de petites pattes, sans aucun poil, terminées par de minuscules griffes et leurs yeux restaient fermés.

Quand Almanzo revint dans la bergerie, il y avait six toisons en attente. Père lui dit:

— Fils, tâche de ne pas avoir de retard sur nous, après ça.

— Oui, Père, répondit Almanzo.

Il entendit Lazy John dire :

— Il ne peut pas, nous aurons fini avant lui.

Père se mit à rire et dit :

— C'est vrai, John. Il ne peut pas ne pas avoir de retard sur nous.

Almanzo se dit qu'il allait leur faire voir. S'il se hâtait suffisamment, il pourrait garder leur rythme. Avant midi, il avait rattrapé Royal et dut attendre pendant qu'il liait une toison.

— Vous voyez bien qu' je peux aller aussi vite que vous! s'exclama-t-il.

— Oh non, tu ne peux pas! insista John. Tu seras battu. Nous aurons fini avant toi.

Tous se moquèrent de lui.

Ils riaient encore quand ils entendirent l'appel

158

de la trompe, annonçant le déjeuner. Père et John achevèrent de tondre leur mouton et s'en allèrent à la maison. Royal ficela la dernière toison et la laissa. Almanzo devait encore la monter dans la sous-pente avant de pouvoir rentrer. Il comprenait maintenant ce qu'ils voulaient dire.

— Mais ils ne m'auront pas, pensa-t-il.

Il trouva un morceau de corde et l'attacha autour du cou d'une brebis qui n'était pas encore tondue. Il conduisit la brebis au pied de l'escalier et la fit monter, marche par marche, tout en la tirant et la soulevant par-derrière. Elle bêla tout le temps que dura l'ascension, mais il parvint à la faire entrer dans le grenier. Il l'attacha près des toisons, lui donna du fourrage pour la faire tenir tranquille et partit déjeuner.

Durant tout l'après-midi, Lazy John et Royal ne cessèrent de lui répéter qu'il devait se dépêcher, sans quoi il serait perdant.

— Non, je ne serai pas perdant. Je peux aller aussi vite que vous, répondait Almanzo, invariablement.

Tous se riaient de lui.

Il saisissait rapidement les toisons aussitôt que Royal les avait ficelées, montait quatre à quatre l'escalier et redescendait en courant. Tous riaient de le voir se presser ainsi et continuaient à répéter :

— Oh, tu ne nous battras pas! Nous aurons fini les premiers!

Juste avant l'heure de la traite, Père et John luttèrent de vitesse pour tondre les deux derniers moutons. Père gagnait. Almanzo emporta la toison en courant. La dernière n'était pas encore prête, qu'il était déjà en bas. Royal la ficela et s'exclama :

— Nous avons tous fini! Almanzo, on t'a battu! On t'a battu!

Royal et John partirent tous deux d'un énorme éclat de rire; même Père riait.

Almanzo dit alors :

— Non, vous n' m'avez pas battu. J'ai une toison, en haut, que vous n'avez pas encore tondue.

Ils s'arrêtèrent de rire, surpris. Au même moment, la brebis qui était au grenier, entendant que l'on faisait sortir les autres moutons pour aller paître, se mit à bêler, « Bê-ê-ê! ».

Almanzo, fou de joie, s'écria :

— C'est ça la toison! J' l'ai montée et vous n' l'avez pas encore tondue! J' vous ai battus! J' vous ai battus!

John et Royal avaient l'air si comiques, qu'Almanzo fut pris d'un rire inextinguible. Père riait à gorge déployée.

— Tu es refait, John! s'écria-t-il. Rit bien qui rit le dernier!

160

CHAPITRE 15

LE RETOUR
DU FROID

Le printemps était tardif et froid. Il faisait frisquet à l'aube et même quand le soleil brillait, le fond de l'air demeurait frais à midi. Les feuilles des arbres se dépliaient comme à regret. Les pois, les haricots, les carottes et le maïs ne se décidaient pas à pousser. Tout attendait la venue de la chaleur.

Une fois terminés, dans les champs, les travaux les plus urgents, Almanzo fut contraint de retourner à l'école. Seuls, les petits continuaient à fréquenter l'école durant le trimestre de printemps. Almanzo aurait aimé être plus grand pour pouvoir rester à la maison. Il lui répugnait de devoir demeurer assis, le nez plongé dans un livre, quand tant de choses passionnantes l'attendaient chez lui.

Père décida alors de transporter les toisons à Malone, où le cardage s'effectuait désormais à la machine. Il en rapporta les longs et doux rouleaux de laine, peignés et filés. Mère ne cardait plus sa laine depuis qu'une cardeuse avait été mise en service à la ville : la machine le faisait pour elle, moyennant un paiement en nature. Mère continuait à la teindre, toutefois.

Alice et Eliza Jane allèrent dans les bois ramasser des racines et des écorces. Royal fut chargé de préparer d'immenses feux dans la cour. Les filles firent bouillir racines et écorces dans de grands chaudrons. Elles y plongèrent les écheveaux que Mère avait préparés. Quand elles les en ressortirent, au bout de longs bâtons, ils étaient colorés en brun, en rouge ou en bleu. A l'heure où Almanzo revint de l'école, les cordes à linge étaient pleines d'écheveaux teints, qui séchaient.

Mère prépara aussi du savon mou. Tout au long de l'hiver, les cendres de bois avaient été entreposées dans un tonneau. A présent, Mère y versait de l'eau et la potasse qu'elle obtenait s'écoulait par un petit trou, pratiqué au fond du tonneau. Elle mesura une certaine quantité de cette lessive qu'elle mit dans un chaudron. Elle ajouta des couennes de lard, plus toute la graisse de porc et le suif de bœuf qu'elle avait pu réserver au cours de l'hiver. Elle amena le tout à ébullition : la lessive et les graisses se transformèrent en savon.

Almanzo aurait su entretenir les feux; il aurait su puiser le savon brun et visqueux, afin de le transvaser dans des baquets. Mais non. On l'obligeait à aller à l'école.

Il observait la lune avec impatience. Au moment de la nouvelle lune, en mai, il aurait la permission de manquer la classe, car il serait chargé de planter les citrouilles.

Quand la lune changea enfin, il partit, par un petit matin froid, pour le champ de maïs. Il avait noué autour de sa taille une sacoche pleine de pépins de citrouilles. Les herbes folles voilaient légèrement de vert le champ encore obscur. Les petits plants de maïs ne poussaient pas bien, car la température était trop basse pour eux.

Tous les deux sillons, au pied chaussé d'un plant sur deux, Almanzo s'agenouillait, prenait un pépin de citrouille mince et plat entre le pouce et l'index, puis il l'enfonçait.

Il se sentit d'abord transi, puis très vite, le soleil monta. Des odeurs plaisantes lui parvenaient tant de l'air que de la terre. Il trouvait amusant d'enfoncer pouce et index dans le sol meuble et d'y mettre tour à tour à pousser ses graines.

Jour après jour, il revint dans ce champ, jusqu'à ce que toutes les citrouilles eussent été plantées. Il se proposa ensuite pour aller biner et éclaircir les carottes. Il désherba les longs sillons, avant d'éliminer les petites fanes plumeuses de nombreuses carottes, en veillant à ce que celles qu'il laissait soient bien distantes de cinq centimètres.

Il prit tout son temps. Personne ne s'était jamais donné autant de mal que lui avec des carottes, parce que plus que tout, il souhaitait ne pas avoir à retourner à l'école. Il fit durer les choses jusqu'au moment où il n'y eut plus que trois jours d'école. La fin du trimestre de printemps signifiait qu'il allait pouvoir travailler tout l'été aux champs.

Il aida tout d'abord à biner le champ de maïs. Père laboura entre les sillons. Royal et Almanzo, armés de binettes, extirpèrent toutes les mauvaises herbes, avant d'ameublir les buttes des plants de maïs. « Sarcle, sarcle! » semblaient leur dire les binettes, du matin au soir, tandis qu'ils brisaient les mottes autour des jeunes pousses de maïs et des deux premières feuilles plates des citrouilles.

Almanzo bina ainsi un hectare de maïs, puis un hectare de pommes de terre. Le sarclage prit alors momentanément fin et ce fut le temps des fraises.

Les fraises sauvages, peu abondantes cette année-là, étaient en retard, car le gel avait anéanti leurs premières fleurs. Il fallait qu'Almanzo s'enfonçât très loin dans les bois, s'il voulait emplir un seau de ces petits fruits parfumés et sucrés.

Quand il en trouvait, rassemblés sous les feuilles vertes, il ne pouvait s'empêcher d'en avaler quelques-unes. Il brisait et mangeait aussi les brindilles vertes du thé du Canada, quand il ne mâchonnait pas jusqu'à la base de leurs délicates fleurs, couleur de lavande, les tiges sucrées et acides à la fois de l'oxalide. Il s'arrêtait pour lancer des pierres aux écureuils qui folâtraient. Il abandonnait son seau au bord des ruisseaux pour aller y patauger et poursuivre les vairons. Il ne rentrait jamais toutefois sans avoir empli son seau.

Il y avait alors des fraises à la crème au dessert du dîner et le lendemain, Mère préparait le reste au sirop, pour le conserver.

— Je n'ai jamais vu de maïs pousser si lentement, remarqua Père, un jour, l'air soucieux.

Il laboura une fois de plus le champ, puis

Almanzo s'en fut à nouveau aider Royal à biner les plants. Les petites pousses, malgré tout, ne croissaient pas. Le premier juillet, elles ne dépassaient pas douze centimètres de haut. On aurait dit que, se sentant menacées, elles craignaient de se mettre à grandir.

Il restait alors trois jours avant la fête de l'Indépendance, célébrée le quatre juillet. Puis il n'y eut plus que deux jours. Enfin, ce fut la veille de la fête. Ce soir-là, bien qu'on ne fût pas un samedi, Almanzo dut prendre un bain. Le lendemain matin, ils iraient tous à Malone assister aux cérémonies. Almanzo aurait déjà voulu être au matin : la fanfare jouerait, il y aurait des discours, puis on tirerait le canon.

L'air était immobile et froid, cette-nuit-là. Les étoiles avaient pris un éclat hivernal. Après le dîner, Père retourna aux dépendances. Il ferma les portes et les petits volets en bois des stalles des chevaux, puis il envoya les brebis rejoindre les agneaux, à l'intérieur du parc.

Quand il rentra, Mère lui demanda si la température se réchauffait. Père hocha la tête en signe de dénégation.

— Moi, je crois qu'il va geler, annonça-t-il.

— Allons donc, sûrement pas! protesta Mère.

Mais on la sentait préoccupée.

A un moment donné, au cours de la nuit, Almanzo sentit que le froid le gagnait. Il était trop ensommeillé, toutefois, pour avoir le courage d'y remédier. Presque aussitôt, il entendit Mère appeler :

— Royal! Almanzo!

Il ne pouvait ouvrir les yeux, tant il avait sommeil.

— Levez-vous, mes garçons! Dépêchez-vous! pressa Mère. Le maïs est gelé!

Il dégringola de son lit et enfila son pantalon. Il ne parvenait pas à garder les yeux ouverts. Ses gestes étaient maladroits et il bâillait à s'en décrocher la mâchoire. Quand il descendit l'escalier derrière Royal, il titubait.

Mère, Eliza Jane et Alice mettaient leurs capuchons et leurs châles. Il faisait froid dans la cuisine : le feu n'avait pas été allumé. Dehors, tout avait un aspect étrange. L'herbe était couverte de gelée blanche; le ciel, à l'est, était zébré de vert, annonciateur de froid, tandis qu'une obscurité profonde régnait partout ailleurs.

Père attela Bess et Beauty au chariot. Royal pompa pour emplir l'abreuvoir. Almanzo aida Mère et ses sœurs à regrouper seaux et baquets. Père monta des tonneaux sur le chariot. Ils emplirent les baquets et les tonneaux, puis ils suivirent le chariot à pied jusqu'au champ de maïs.

Tout le maïs était gelé. Les petites feuilles

raidies se brisaient, dès qu'on les touchait. Seul, un apport d'eau froide pouvait sauver les plants : il allait falloir arroser toutes les buttes avant le lever du soleil, sinon tous les petits plants mourraient et la récolte serait perdue.

Le chariot s'arrêta en bordure du champ. Père, Mère, Eliza Jane, Alice et Almanzo emplirent chacun un seau d'eau. Ils se mirent à l'œuvre sans retard.

Almanzo aurait voulu se hâter, mais le seau était lourd et il avait de petites jambes. Comme il avait les mains mouillées, il avait froid aux doigts. Il s'éclaboussait les jambes et par-dessus tout, il avait une terrible envie de dormir. Il

trébuchait dans les sillons, mais chaque fois qu'il parvenait à la hauteur d'un pied de maïs, il versait un peu d'eau sur les feuilles givrées.

Le champ lui paraissait immense. Il y avait des milliers et des milliers de pieds de maïs. Almanzo sentait qu'il avait faim : il n'osait se plaindre, pourtant. Il lui fallait se hâter, se hâter, se hâter encore, s'il voulait contribuer à sauver le maïs.

A l'est, le vert vira au rose. La clarté se faisait toujours plus vive. Au début, Almanzo avait eu l'impression que l'immense champ baignait dans l'obscurité comme dans un brouillard, mais il commençait à entrevoir le bout des longs sillons. Il s'efforça d'aller plus vite.

En un instant, la terre, de noire, devint grise. Le soleil allait paraître et tuer le maïs.

Almanzo courut emplir son seau. Il revint sur ses pas, toujours en courant. Il suivait les sillons, éclaboussant au passage les buttes des plants. Il avait mal aux épaules, dans les bras, au côté. La terre molle lui collait aux pieds. La faim le tenaillait. Mais chaque fois qu'il arrosait, il sauvait un plant.

Sous la lumière grise, on voyait déjà se dessiner de maigres ombres à la base des plants. Soudain, un pâle rayon de soleil vint effleurer le champ.

— Continuez! ordonna Père.

Ils continuèrent, sans prendre le temps de souffler.

Très vite, pourtant, Père renonça.

— Ça ne sert plus à rien! lança-t-il.

Rien ne pouvait plus sauver le maïs : le soleil l'avait touché.

Almanzo reposa son seau et se redressa pour tenter de soulager son dos endolori. Il se haussa sur la pointe des pieds pour mieux examiner le champ. Les autres membres de la famille faisaient de même. Nul ne disait mot. Ils avaient arrosé près d'un hectare et demi. Un demi-hectare n'avait pu être traité : il était perdu.

Almanzo se dirigea à pas lourds vers le chariot et y grimpa.

— Soyons reconnaissants d'avoir pu en sauver la plus grande partie, dit Père.

Ils regagnèrent la ferme en somnolant. Almanzo, qui ne s'était jamais franchement réveillé, se sentait las, glacé, affamé. Il s'occupa des bêtes avec des gestes engourdis. Il était heureux, pourtant, qu'ils soient parvenus à sauver la majeure partie des plants de maïs.

CHAPITRE 16

LA FÊTE
DE L'INDÉPENDANCE

Almanzo était en train de prendre son petit déjeuner, quand il se souvint qu'on était le quatre juillet, jour de la fête nationale. Il se sentit aussitôt beaucoup mieux.

On se serait cru un dimanche matin. Après le petit déjeuner, il se lava la figure avec du savon mou jusqu'à en avoir les joues luisantes, puis il sépara par une raie ses cheveux mouillés, les démêla et les lissa soigneusement avec le peigne. Il enfila son pantalon de lainage gris, sa chemise de calicot français, son gilet et son manteau.

Mère lui avait coupé ce costume neuf à la dernière mode. Le manteau s'attachait par une patte au ras du cou; les deux basques, échancrées, révélaient le gilet et s'achevaient en s'arrondissant au-dessus des poches du pantalon.

Il posa sur sa tête le chapeau rond que Mère lui avait tressé avec de la paille d'avoine. Il était fin prêt pour la fête. Il se trouvait très beau.

Les chevaux fringants de Père étaient attelés au boghei, dont les roues rouges elles-mêmes resplendissaient de propreté. Ils y prirent tous place et s'en furent vers la ville, sous un soleil pâle. Tout, dans les alentours, avait pris un air de fête. Personne n'était allé aux champs et sur la route, ils ne virent que des gens en costume du dimanche, qui se rendaient, comme eux, à la ville, en voiture.

L'attelage rapide de Père les distançait tous. Ils doublèrent des chariots, des carrioles et d'autres bogheis. Ils devancèrent des chevaux gris, des chevaux noirs, des chevaux gris pommelé. Almanzo agitait son chapeau chaque fois qu'il passait devant une personne de connaissance et il eût été suprêmement heureux s'il eût pu mener lui-même ce nerveux, ce bel attelage.

Quand ils furent parvenus aux remises de l'église, à Malone, il aida Père à dételer. Mère, ses sœurs et Royal s'éloignèrent d'un pas pressé. Almanzo, pour sa part, préférait aider Père avec

172

les chevaux. Il ne pouvait les mener, mais il savait attacher leur licou, agrafer leur couverture, flatter leur museau et leur donner du foin.

Père et lui les abandonnèrent enfin et s'engagèrent à leur tour sur les trottoirs encombrés. Tous les magasins étaient fermés, mais de belles dames et de beaux messieurs remontaient ou descendaient la grande rue en se parlant. Les petites filles, aux robes garnies de dentelle, portaient des ombrelles; quant aux garçons, ils avaient revêtu, comme Almanzo, leurs habits du dimanche. Tout était pavoisé et sur la place, la

fanfare jouait « Yankee Doodle [1]. » Les fifres sonnaient, les flûtes déchiraient l'air de leurs voix aiguës et les tambours roulaient leur rap-e-tap-tap.

> « *Yankee Doodle partit pour la ville,*
> *Perché sur un poney,*
> *Piqua une plume à son chapeau*
> *Et dit :* ' *Voyez comme je suis beau!* ' »

Les grandes personnes elles-mêmes ne pouvaient s'empêcher de marquer le pas. Et voilà que deux canons de bronze les attendaient à l'un des angles du square que l'on appelait Le Carré.

Le Carré n'était pas vraiment carré. Les gens du chemin de fer lui avaient donné une forme triangulaire. Il était entouré d'une grille et semé de gazon. On avait aligné des bancs sur le gazon et les gens se faufilaient, comme à l'église, dans les travées, avant de s'asseoir.

Almanzo prit place avec Père sur l'un des bancs de devant les mieux situés. Tous les hommes importants s'arrêtaient pour saluer Père. La foule était telle que toutes les places

1. Yankee *désigne un habitant de la Nouvelle-Angleterre. Le mot viendrait de la prononciation déformée soit d'*English, *soit d'*Anglais. Doodle *qualifie un homme sot ou frivole. La chanson date de la Révolution américaine (1776).*

furent bientôt occupées. Certains spectateurs demeurèrent même debout, de l'autre côté de la grille.

La fanfare cessa de jouer et le pasteur dit une prière. Puis la fanfare s'accorda à nouveau et toute l'assemblée se leva. Les hommes et les garçons se découvrirent. La fanfare se mit à jouer l'hymne national et tout le monde chanta :

> *Oh, dites, voyez-vous, dans les lueurs de*
> *l'aube naissante,*
> *Ce qu'avec tant d'orgueil nous avions salué*
> *aux derniers rayons du couchant,*
> *Celle dont les larges rayures et les étoiles*
> *scintillantes,*
> *tout au long de la nuit menaçante,*
> *Au-dessus des remparts n'ont cessé de flotter*
> *fièrement,*
> *grâce à notre vigilance.*

Tout en haut du mât, la bannière étoilée flottait au vent et se détachait sur le fond du ciel bleu. Tous les yeux étaient tournés vers le drapeau américain et Almanzo chantait de toute son âme.

Puis tous les assistants s'assirent et un député monta sur l'estrade. D'une voix lente et solennelle, il se mit à lire la Déclaration d'indépendance :

« Lorsque, dans le cours des événements humains, un peuple se voit dans la nécessité... de prendre parmi les puissances de la Terre une position égale et séparée... Nous tenons ces vérités pour évidentes par elles-mêmes, que tous les hommes sont créés égaux... »

Almanzo, l'air grave, se sentait très fier.

Deux hommes se succédèrent alors pour prononcer de longs discours politiques. Le premier était partisan de l'établissement de tarifs douaniers élevés, le second, du libre-échange. Les adultes les écoutèrent avec beaucoup d'attention, mais Almanzo, qui ne comprenait pas tout, commençait à avoir faim. Il fut tout content de voir l'orchestre recommencer à jouer.

La musique était très gaie. Les musiciens, dans leurs uniformes bleus et rouges, ornés de boutons de cuivre, soufflaient avec entrain dans leurs instruments et le gros tambour les soutenait de ses ran-plan-plan. Les drapeaux claquaient au vent et tous les participants étaient heureux, parce qu'ils étaient libres, qu'ils ne dépendaient d'aucune autre nation et que cette fête de l'Indépendance était la leur. Puis vint l'heure d'aller déjeuner.

Almanzo aida Père à nourrir les chevaux, tandis que Mère et ses sœurs étalaient le pique-nique sur l'herbe du cimetière. Bien d'autres familles étaient venues y pique-niquer, elles aussi. Quand il eut complètement apaisé sa faim, Almanzo regagna le Carré.

Une baraque foraine avait été dressée près des poteaux où l'on attachait les chevaux. Le marchand y proposait de la limonade rose, à un *nickel* le verre, et une foule de garçons de la ville se pressait devant lui. Le cousin Frank était parmi eux. Almanzo alla boire à la fontaine, mais Frank lui annonça qu'il allait s'offrir de la limonade. Il avait une pièce d'un nickel. Il se dirigea vers la baraque, s'offrit un verre de limonade et le but lentement. Il fit claquer ses lèvres, se frotta le ventre et demanda :

— Mmm! Pourquoi est-ce que tu ne t'en offres pas?

— Où as-tu eu ce nickel-là? dit Almanzo.

Pour sa part, il n'avait jamais possédé une telle pièce. Père lui donnait un *penny*, le dimanche, pour la quête.

— C'est mon père qui me l'a donné, se vanta Frank. Mon père me donne un nickel, chaque fois que je le lui demande.

— Mon père le ferait aussi, si je le lui demandais, riposta Almanzo.

— Alors, pourquoi tu ne le lui demandes pas?

Frank ne croyait donc pas que Père accepterait. Almanzo ne le savait pas non plus, à vrai dire.

— Parce que j'n'en ai pas envie, répondit-il.

— Il ne te donnerait pas un nickel.

— Si, il me le donnerait.

— Chiche que tu lui demandes!

Les autres garçons écoutaient leur conversation. Almanzo mit ses mains dans ses poches et dit :

— J' pourrais, si j' voulais.

— Oui, mais t'as peur! le railla Frank. Chiche que chiche!

Père se trouvait un peu plus bas dans la rue, en compagnie de M. Paddock, le charron. Almanzo se dirigea vers eux, à pas lents. Le cœur lui manquait un peu, mais il sentait qu'il ne pouvait reculer. Plus il approchait de Père et plus il redoutait d'avoir à lui réclamer ce nickel : une telle idée ne lui était encore jamais venue à l'esprit. Il était sûr que Père ne le lui donnerait pas.

Il attendit que Père eut fini sa phrase et qu'il eut tourné la tête vers lui.

— Que veux-tu, fils? demanda Père.

Almanzo, inquiet, ne put que commencer :

— Père...

— Eh bien, fils?

— Père, enchaîna Almanzo, est-ce que tu... est-ce que tu voudrais bien me donner... un nickel?

Il se trouvait placé entre Père et M. Paddock,

qui l'examinaient tous les deux, aussi n'avait-il plus qu'un désir : pouvoir s'en aller.

Après un court silence, Père demanda :

— Pour quoi faire?

Almanzo fixa ses mocassins et expliqua, dans un murmure :

— Frank avait un nickel. Il s'est acheté de la limonade rose.

— Très bien, dit Père, lentement. Si Frank t'a offert quelque chose, il est juste que tu lui offres quelque chose à ton tour.

Il glissa une main dans sa poche, interrompit son geste et voulut encore savoir :

— Est-ce que Frank t'a offert de la limonade?

Almanzo avait tellement envie de ce nickel qu'il se mit à hocher la tête pour dire oui. Puis il se reprit et reconnut :

— Non, Père.

Père le fixa longuement. Il sortit enfin son porte-monnaie, l'ouvrit, en tira lentement une grosse pièce ronde d'un demi-dollar, puis il demanda :

— Almanzo, connais-tu la valeur de cette pièce?

— C'est un demi-dollar, répondit Almanzo.

— Oui, mais sais-tu ce que représente un demi-dollar?

Almanzo savait simplement que la pièce correspondait à une certaine somme d'argent.

— Elle représente des heures de travail, fils. C'est à cela qu'équivaut l'argent, à des heures de dur travail.

M. Paddock gloussa :

— Cet enfant est trop jeune, Wilder. On ne peut pas faire comprendre une chose pareille à un enfant de cet âge-là.

— Almanzo est plus intelligent que vous ne le croyez, objecta Père.

Almanzo ne comprenait rien du tout à leur conversation. Il aurait aimé pouvoir repartir, mais M. Paddock regardait Père de l'air qu'avait pris Frank pour dire « chiche-que-chiche! » à Almanzo. En outre, comme Père avait affirmé qu'Almanzo était intelligent, Almanzo s'efforçait de le paraître. Père lui dit :

— Sais-tu comment on fait pousser des pommes de terre, Almanzo?

— Oui, répondit Almanzo.

— Disons qu'on te donne une pomme de terre de semence, au printemps, qu'en fais-tu?

— On la coupe en deux, dit Almanzo.

— Et puis ensuite, fils?

— Et puis on herse. D'abord, on met de l'engrais dans le champ, puis on le laboure. Ensuite, on le herse et on trace des sillons dans le terrain. Puis on plante les pommes de terre, on retourne la terre, on les butte. On retourne et on butte deux fois.

— C'est exact, fils. Et après?

— Après, on les récolte et on les met à la cave.

— C'est vrai. Puis on les trie tout au long de l'hiver; on rejette les petites et celles qui sont abîmées. Quand le printemps arrive, on les charge, on les transporte jusqu'ici, à Malone, puis on les vend. Et si l'on en obtient un bon prix, fils, combien reçoit-on en échange de tout ce travail? Combien, pour vingt kilos de pommes de terre?

— Un demi-dollar, dit Almanzo.

— Oui, dit Père. C'est cela que représente ce demi-dollar, Almanzo. Le travail qu'il a fallu fournir pour faire pousser vingt kilos de pommes de terre.

Almanzo fixait la pièce ronde que Père lui présentait. Elle paraissait petite, en comparaison de tout le travail qu'elle avait coûté.

— Tu peux la prendre, Almanzo, dit Père.

Almanzo n'en croyait pas ses oreilles. Père lui offrait cette lourde pièce.

— Elle est à toi, poursuivit Père. Tu pourrais t'acheter un cochon de lait, si tu voulais. Tu pourrais l'élever et il te donnerait une portée de porcelets, qui vaudraient quatre, cinq dollars par tête. Ou tu peux acheter de la limonade et la boire. Fais-en ce que tu veux : c'est ton argent.

Almanzo oublia de le remercier. Il contempla

le demi-dollar un instant, puis il fourra sa main dans sa poche et s'en fut rejoindre les garçons, près de la baraque. Le marchand était en train de crier :

— Approchez, approchez! Limonade glacée, limonade rose, cinq *cents* le verre! Seulement la moitié d'une *dime!* Limonade rose glacée! La vingtième partie d'un dollar!

Frank interpella Almanzo :

— Alors, ce nickel, où est-il?

— Il ne m'a pas donné un nickel, répondit Almanzo.

Frank, aussitôt, rugit :

— Tu vois, tu vois! J' te l'avais bien dit qu'il n' te les donnerait pas! J' te l'avais dit!

— Il m'a donné un demi-dollar, reprit Almanzo.

Comme les garçons ne voulaient pas le croire, il dut le leur montrer. Ils firent cercle autour de lui, car ils s'attendaient à le voir dépenser son argent. Il leur montra bien sa pièce, puis il la remit dans sa poche.

— Je vais aller voir si je ne peux pas me trouver un beau petit cochon de lait, annonça-t-il à la ronde.

La fanfare s'était mise à défiler dans la rue. Ils la suivirent tous en courant. Le drapeau, glorieux, flottait en tête, puis venait le clairon, suivi des fifres et du tambour, qui faisait rouler ses baguettes sur son instrument. La fanfare monta et redescendit la rue, toujours suivie par la troupe des garçons, avant de s'immobiliser devant le Carré, près des canons de bronze.

Des centaines de gens s'étaient déjà rassemblés. Les canons pointaient leurs longs tubes vers le ciel. La fanfare jouait toujours. Deux hommes ne cessaient de crier :

— Reculez! Reculez!

D'autres hommes versaient de la poudre noire dans la bouche des canons, puis il la tassaient à l'aide d'écouvillons. Les manches de fer des écouvillons étaient équipés de deux poignées. Deux hommes les tiraient et les poussaient pour faire pénétrer la poudre noire dans l'âme des canons de bronze. Tous les garçons s'en furent alors au pas de course arracher de l'herbe le long de la voie ferrée. Ils en rapportèrent des brassées au pied des canons. Les soldats emplirent d'herbe les tubes des canons en les poussant avec les écouvillons.

On avait allumé un feu de joie près de la voie ferrée. Les grands écouvillons de fer y avaient été mis à chauffer.

Quand toute l'herbe fut bien tassée contre la poudre, à l'intérieur des canons, un homme prit une petite quantité de poudre dans sa main et en emplit soigneusement deux petits orifices ménagés dans les tubes. Déjà, tout le monde criait :

— Reculez! Reculez!

Mère saisit Almanzo par le bras et l'entraîna à sa suite. Il protesta :

— Oh, Mère! Y n' sont chargés qu'avec de la poudre et de l'herbe. Je n' serai pas blessé, Mère. Je f'rai attention, j' t'assure.

Elle l'obligea tout de même à s'écarter.

Deux hommes tirèrent les longs écouvillons de fer du feu. L'assistance, devenue silencieuse, les observait. En se plaçant aussi loin en arrière des canons qu'ils le pouvaient, les deux hommes tendirent leurs écouvillons pour en mettre les extrémités rougies au feu en contact avec les « lumières ». Une petite flamme, semblable à celle d'une bougie, se mit à vaciller au-dessus de la poudre. Cette petite flamme continua à brûler quelque temps sans bouger. Tous retenaient leur souffle. Soudain, il y eut un... BOUM!

Les canons reculèrent brutalement et l'herbe vola en l'air. Almanzo se rua en avant avec tous les autres garçons pour aller toucher la bouche chaude des canons. Toute l'assemblée se récriait sur la violence du coup.

— C'est ce bruit-là qui a fait fuir les habits rouges! dit M. Paddock, à Père [1].

— Peut-être bien, rétorqua Père, en tirant sur sa barbe. Pourtant, ce sont les mousquets qui

1. *Les soldats anglais, en 1776.*

184

ont permis de gagner la Révolution. Et ne l'oublions pas, ce sont les haches et les charrues qui ont fait ce pays.

— C'est bien vrai, si l'on y réfléchit, reconnut M. Paddock.

La fête de l'Indépendance était terminée. Une fois les canons tirés, il ne restait plus qu'à atteler les chevaux et à rentrer pour s'occuper des bêtes.

Ce soir-là, alors qu'ils regagnaient la maison avec le lait de la traite, Almanzo demanda à Père :

— Père, pourquoi as-tu dit que c'étaient les haches et les charrues qui avaient fait ce pays? Est-ce que nous ne nous sommes pas battus contre l'Angleterre?

— Nous nous sommes battus pour obtenir l'indépendance, fils, dit Père. Mais la terre qu'occupaient nos aïeux ne représentait qu'une petite parcelle du pays, dans cette région-ci, entre les montagnes et l'océan. Tout ce qui s'étendait à l'ouest était territoire indien, colonie espagnole, française ou anglaise. Ce sont les fermiers qui ont pris possession de toutes ces terres et qui en ont fait l'Amérique.

— Comment cela? voulut savoir Almanzo.

— Eh bien, fils, les Espagnols étaient des soldats, de grands et puissants gentilshommes qui voulaient uniquement de l'or. Les Français ne s'intéressaient qu'au commerce des fourrures, car ils voulaient s'enrichir vite. Quant à l'Angleterre, elle était occupée à faire la guerre. Mais nous, fils, nous étions des cultivateurs; nous voulions la terre. Ce sont les fermiers qui ont franchi la première barrière de montagnes, qui ont défriché le sol au-delà, qui s'y sont fixés, qui l'ont cultivé et qui ont défendu leurs fermes.

« Notre pays s'étend sur 4 800 kilomètres vers l'ouest, à présent. Il s'étend bien au-delà du Kansas, de l'autre côté du Grand Désert Américain [1], sur l'autre versant de montagnes plus hautes que nos montagnes et jusqu'à la côte du Pacifique. C'est le plus grand pays du monde et ce sont les fermiers qui ont peu à peu pris possession de tout ce territoire et qui en ont fait l'Amérique, fils. Ne l'oublie jamais.

1. *Vaste étendue du pays, longtemps inexplorée, qui s'étend du Texas occidental aux chaînes côtières de la Californie du sud et, du nord au sud, de l'Oregon au Mexique.*

CHAPITRE 17

L'ÉTÉ

Le soleil était plus chaud et la croissance de toutes les plantes était rapide, à présent. Le maïs lançait ses minces feuilles bruissantes à la hauteur de la taille d'un homme. Père le laboura une fois encore, avant d'envoyer Royal et Almanzo le biner à nouveau. Puis le maïs fut laissé à lui-même. Il avait pris assez d'avantage sur les mauvaises herbes pour pouvoir maintenir sa position dans le champ sans aide extérieure.

Les rangées touffues de pieds de pommes de terre se rejoignaient presque et leurs fleurs

187

blanches formaient comme une écume à la surface du champ. Les avoines gris-vert ondoyaient dans le vent et les minces épis du blé « en fleur » devenaient rêches au toucher avec l'apparition des glumes qui enveloppaient les épillets. Les prés, envahis par les fleurs préférées des abeilles, avaient pris des nuances roses et pourpres.

Les travaux des champs n'étaient plus si pressants. Almanzo trouvait le temps de désherber le jardin et d'y butter son rang de pommes de terre. Il avait planté quelques pommes de terre de semence pour le simple plaisir de voir ce qu'elles allaient donner. Et tous les matins, il portait à boire à la citrouille qu'il voulait exposer à la foire du comté.

Père lui avait montré comment forcer une citrouille avec du lait. Ils avaient choisi ensemble la pousse la mieux développée du champ, pincé toutes les tiges secondaires et conservé une seule fleur jaune. Entre la racine et la minuscule petite citrouille verte qui s'était ensuite formée, ils avaient pratiqué une petite fente sur la face inférieure de la tige. Sous cette fente, Almanzo avait creusé un trou dans le sol, puis il avait calé un bol de lait. Enfin, il avait plongé une mèche à bougie dans le lait et inséré doucement l'autre extrémité de la mèche dans la fente.

La tige de la citrouille buvait chaque jour son bol de lait par l'intermédiaire de la mèche et le fruit grossissait à vue d'œil. Déjà, il était trois fois plus gros que n'importe laquelle des autres citrouilles du champ.

Almanzo élevait également sa petite truie. Il l'avait achetée avec son demi-dollar. Elle était si petite, au début, qu'il avait dû la nourrir avec un chiffon trempé dans du lait. Très vite, cependant, elle avait su boire seule. Il l'avait installée dans une cage à l'ombre, car les porcelets grandissent mieux lorsqu'ils sont protégés du soleil. Il lui donnait tout ce qu'elle pouvait manger. Elle aussi poussait vite.

Almanzo, de son côté, se transformait, mais il ne grandissait pas assez à son goût. Il buvait tout le lait qu'il pouvait absorber et aux repas, il emplissait son assiette à tel point qu'il ne réussissait pas à la vider. Père lui jetait des regards sévères, parce qu'il laissait quelque chose sur son assiette, puis il lui demandait :

— Que se passe-t-il, fils? Tu as eu les yeux plus grands que le ventre?

Almanzo s'efforçait alors de manger un peu plus. Il n'expliquait à personne qu'il essayait de grandir plus vite pour pouvoir participer au dressage des poulains.

Chaque jour, Père sortait les deux ans l'un après l'autre. Il les menait à la longe pour les

189

habituer à se mettre en marche et à s'arrêter à la voix. Il les habituait à porter bride et harnais, puis à n'avoir peur de 'rien. Bientôt, il les attellerait à tour de rôle avec un vieux cheval paisible et il leur apprendrait à tirer une carriole, sans s'effrayer. Mais il avait interdit à Almanzo de pénétrer dans la cour où il les entraînait.

Almanzo était certain qu'il n'aurait pas fait peur aux poulains; il n'aurait pas cherché à leur apprendre à sauter, ne les aurait pas poussés au point qu'ils refusent ou tentent de s'échapper. Père, pourtant, ne faisait pas la moindre confiance à un enfant de neuf ans.

Cette année-là, Beauty avait mis au monde le plus joli poulain qu'Almanzo eût jamais vu. Il portait au front une étoile bien dessinée. Almanzo l'avait appelé Starlight, lumière des étoiles. Il courait dans le pré avec sa mère. Un jour où Père était en ville, Almanzo pénétra dans ce pré.

Beauty leva la tête pour le regarder approcher et le petit poulain courut se placer derrière elle. Almanzo s'arrêta et s'immobilisa. Au bout d'un moment, Starlight lui coula un regard sous l'encolure de Beauty. Almanzo ne bougea pas. Petit à petit, le poulain tendit le cou vers Almanzo et fixa sur lui de grands yeux curieux. Beauty lui caressa le dos du museau et fouetta l'air de sa queue, puis elle fit un pas pour arracher une touffe d'herbe. Starlight, immobile et tremblant, regardait Almanzo. Beauty les surveillait tous les deux et mâchonnait, placide. Le poulain fit un pas, puis un autre. Il était si proche qu'Almanzo aurait presque pu le toucher, mais il ne le fit pas; il ne bougea pas. Starlight fit un pas encore. Almanzo ne respirait plus. Brusquement, le poulain fit demi-tour et courut rejoindre sa mère. Almanzo entendit Eliza Jane l'appeler :

— 'Ma-a-anzo !

Elle l'avait vu. Le soir, elle le dit à Père. Almanzo affirma qu'il n'avait rien fait du tout, vrai de vrai, il n'avait rien fait, mais Père l'avertit :

— Si je te prends jamais à tourner autour de ce poulain, je te tannerai le cuir. C'est un trop bon poulain pour que je te laisse l'abîmer. Je ne veux pas que tu lui donnes des habitudes qu'il faudra que je lui fasse perdre.

Les journées étaient longues et chaudes, à présent. Mère disait que c'était un temps qui convenait à toutes les cultures. Almanzo, pour sa part, avait l'impression que tout croissait, sauf lui. Les jours passaient et rien ne changeait en apparence. Almanzo arrachait les mauvaises herbes et binait le jardin; il aidait à remettre en état les murets de pierre qui bordaient les champs; il coupait du bois, effectuait les tâches

191

quotidiennes. Par les chaudes après-midi, il allait se baigner, s'il n'avait pas trop à faire.

Parfois, quand il s'éveillait le matin, il entendait la pluie tambouriner sur le toit. Cela signifiait que Père et lui iraient peut-être à la pêche.

Il n'osait demander à Père de l'emmener pêcher, car il savait qu'il n'était pas bien de perdre son temps et de demeurer oisif. Or, même les jours de pluie, il y avait de quoi s'occuper. Père pouvait réparer les harnais, aiguiser les outils, aplanir des bardeaux. Almanzo prenait son petit déjeuner en silence, tout en se rendant compte que Père luttait contre la tentation. Il redoutait que la conscience de Père ne l'emportât.

— Eh bien, que vas-tu faire, aujourd'hui? lui demanda Mère, un jour comme celui-là.

Père prit tout son temps pour répondre :

— J'avais prévu de passer le cultivateur dans les carottes et de remonter les murets.

— Tu ne peux pas faire ça par une pluie pareille.

— Non, reconnut Père.

Après le petit déjeuner, il demeura immobile un moment à regarder la pluie tomber, puis, finalement, il décida :

— Eh bien! Il fait trop humide pour travailler dehors. Almanzo, si nous allions pêcher?

Almanzo courut chercher la binette et la boîte à appâts, puis il déterra des vers. La pluie tambourinait sur son vieux chapeau de paille; elle lui coulait le long des bras et du dos, tandis que la boue fraîche s'infiltrait entre ses orteils. Il était déjà trempé lorsque Père et lui se chargèrent des gaules et s'engagèrent à travers le pâturage pour gagner les bords de la Trout, la rivière aux truites.

Nulle odeur n'était plus agréable que celle du trèfle mouillé par la pluie. Rien n'était plus plaisant, aux yeux d'Almanzo, que les gouttes de pluie roulant sur son visage, que l'herbe mouillée lui fouettant les jambes. Nul son ne lui paraissait plus doux que celui des gouttes crépitant sur les buissons des berges de la Trout, celui du clapotis de l'eau courant sur les galets.

Ils avancèrent à pas feutrés le long de la rive, sans échanger une parole, sans faire le moindre bruit, puis ils lancèrent leurs hameçons dans un trou d'eau. Père s'était placé sous un sapin-ciguë, tandis qu'Almanzo s'était assis à l'abri des branches d'un cèdre. Il regardait les gouttes de pluie creuser la surface de l'eau.

Soudain, un éclair d'argent déchira l'air : Père avait attrapé une truite! Elle glissait et luisait sous la pluie, tandis que Père la faisait voler d'une secousse sur la berge herbeuse. Almanzo se mit debout d'un bond et se souvint à la dernière minute qu'il ne devait surtout pas crier.

C'est alors qu'il sentit un tiraillement au bout de sa ligne; l'extrémité de sa canne se courba au point de toucher l'eau et il lui fallut employer toutes ses forces pour la redresser vivement vers le ciel. Un gros poisson scintillant pendait au bout de sa ligne! Il se débattait et lui glissait entre les mains, mais Almanzo parvint à le détacher de l'hameçon : c'était une belle truite saumonée, plus grosse encore que celle qu'avait prise Père. Il l'éleva pour que Père pût l'admirer. Puis il réamorça son hameçon et d'un geste large, il relança sa ligne à l'eau.

Les poissons mordaient bien, quand la pluie tombait sur la rivière. Père en prit un autre, puis Almanzo en eut deux. Père en sortit deux autres et Almanzo en attrapa un, plus gros encore que le premier. En un rien de temps, Père et lui eurent deux piles de truites de belle taille. Père admira celles d'Almanzo et Almanzo vanta celles de Père, puis ils regagnèrent ensemble la maison à pas lourds, sous la pluie, à travers les prés envahis par le trèfle.

Ils étaient trempés jusqu'aux os et pourtant ils avaient la peau rouge, tant ils avaient chaud. Une fois à l'abri, près du billot du tas de bois, ils décapitèrent et écaillèrent les poissons argentés, avant de les vider. Le grand seau à lait était plein de truites. Mère les roula dans la farine de maïs avant de les faire frire pour le déjeuner.

— Eh bien, déclara-t-elle, cet après-midi, Almanzo va pouvoir m'aider à baratter.

Les vaches fournissaient une quantité de lait telle qu'il fallait baratter deux fois par semaine. Mère et les sœurs étaient si lasses de baratter qu'Almanzo devait s'y mettre, les jours de pluie.

Dans la cave blanchie à la chaux, la grande baratte, faite d'un tonneau, reposait sur un système à bascule en bois; elle était à moitié pleine de crème. Almanzo fit tourner la poignée et la baratte commença à se balancer. Dans ses flancs, la crème fit floc! plouf! floc! plouf. Almanzo dut continuer à balancer la baratte

jusqu'à ce que le mouvement de va-et-vient eût fait tourner la crème et que des globules jaunes de beurre se fussent mis à nager dans le babeurre.

Enfin, Almanzo put boire une chope du babeurre acide et crémeux, tout en mangeant des petits gâteaux, tandis que Mère recueillait le beurre grenu et le lavait dans une jatte en bois. Elle en éliminait avec soin tout le petit lait, puis elle salait le beurre ferme et doré, avant de le mettre en baquets.

La pêche n'était pas le seul plaisir que réservait l'été. Par les soirs de juillet, Père annonçait parfois :

— On ne peut pas toujours travailler sans se délasser un peu. Demain, nous irons faire la cueillette.

Almanzo ne disait rien, mais il sentait monter en lui un long cri de joie.

Un de ces matins-là, dès la pointe du jour, ils montèrent donc tous dans le chariot, portant des vêtements usagés, armés de seaux, de grands paniers et d'un copieux pique-nique. Ils s'engagèrent profondément dans les montagnes, en direction du lac Châteaugay, où abondaient airelles et myrtilles.

Un grand nombre d'autres chariots et d'autres familles avaient envahi les bois pour y cueillir les baies. Ces gens riaient et chantaient. On enten-

dait parler partout, parmi les arbres. Tous les ans, on venait ici pour retrouver des amis que l'on n'aurait pas eu l'occasion de rencontrer autrement. Mais tous les promeneurs s'employaient à cueillir les fruits et s'ils se parlaient, c'était sans cesser de travailler.

Les buissons bas et feuillus tapissaient les clairières. Les baies d'un noir-violet s'agglutinaient sous les feuilles et leur odeur sirupeuse imprégnait l'atmosphère. Le soleil brûlait à tel point que l'air en était immobile.

197

Les oiseaux étaient venus en grand nombre festoyer. L'air vibrait du bruit de leurs ailes et des geais en colère volaient en criant au ras de la tête des cueilleurs. A un moment donné, deux geais plongèrent sur la capeline d'Alice; Almanzo dut les mettre en fuite. Un peu plus tard, alors qu'il s'était écarté, il se trouva nez à nez avec un ours noir, que lui avait caché un cèdre.

L'ours, qui s'était dressé, s'enfournait des myrtilles dans la bouche de ses deux pattes avant velues. Almanzo s'immobilisa. L'ours aussi. Almanzo fixa l'ours et l'ours examina Almanzo avec des petits yeux apeurés, tandis qu'il suspendait le mouvement de ses pattes. Un instant plus tard, l'ours retombait à quatre pattes et s'éloignait, en se dandinant, vers le cœur de la forêt.

A midi, on ouvrit les paniers du pique-nique à proximité d'une source. Tout alentour, sous l'ombre fraîche, les gens déjeunaient et bavardaient, puis ils venaient boire de l'eau à la source et retournaient cueillir des baies.

Au début de l'après-midi, une fois emplis paniers et seaux, Père reprit le chemin de la ferme. Tous somnolaient un peu, grisés de soleil et du parfum fruité des baies.

Durant plusieurs jours, Mère et les sœurs firent des gelées, des confitures et des fruits au sirop. A tous les repas, elles préparaient une tourte aux myrtilles ou un pouding aux airelles.

Puis un soir, au dîner, Père révéla :

— Le moment est venu pour Mère et moi de prendre quelques vacances. Nous pensons aller passer une semaine chez l'oncle Andrew. Est-ce que vous, les enfants, vous vous sentez capables de prendre soin de tout et d'être sages pendant notre absence?

— Je suis certaine qu'Eliza Jane et Royal sauront s'occuper de la ferme pendant une semaine, affirma Mère. Si Alice et Almanzo les aident...

Almanzo regarda Alice, puis tous deux consultèrent Eliza Jane du regard. Ils se tournèrent tous alors vers Père et lui répondirent :

— Oui, Père.

CHAPITRE 18

LES ENFANTS
GARDENT LA MAISON

L'oncle Andrew habitait à seize kilomètres de là. Depuis une semaine, Père et Mère avaient l'intention de se rendre chez lui, mais ils se souvenaient sans cesse de nouvelles choses qui devaient être faites pendant leur absence.

En prenant place dans le boghei. Mère faisait ses ultimes recommandations :

— Souvenez-vous bien de ramasser les œufs tous les soirs, disait-elle, et je compte sur toi, Eliza Jane, pour le barattage. Ne sale pas trop le beurre, mets-le dans le petit baquet et assure-toi que tu l'as couvert. Souviens-toi qu'il ne faut pas ramasser les haricots et les petits pois que je garde pour la semence. Maintenant, soyez bien sages quand nous ne serons pas là.

Elle s'affairait à rentrer sa crinoline entre le siège et le pare-boue. Père installait la couverture de voyage.

— ... et n'oublie pas, Eliza Jane. Surveille le feu. Ne quitte pas la maison, si le feu brûle dans la cuisinière et quoi qu'il arrive, ne vous bousculez pas quand il y a des chandelles allumées. Et puis...

Père tira sur les guides et les chevaux s'ébranlèrent.

— ... ne mangez pas tout le sucre! lança encore Mère.

Le boghei tourna pour s'engager sur la route. Les chevaux prirent le trot, emportant Père et Mère à vive allure. Très vite, le bruit des roues s'estompa. Père et Mère étaient partis.

Aucun des enfants ne prononça le moindre mot. Eliza Jane elle-même avait l'air un peu effrayée. La maison, les dépendances, les champs, tout paraissait trop grand et trop vide. Pendant toute une semaine, Père et Mère seraient à seize kilomètres.

Soudain, Almanzo jeta son chapeau en l'air et poussa un grand cri. Alice referma ses bras sur sa poitrine et s'écria :

— Par quoi est-ce qu'on commence?

Ils pouvaient faire ce qu'ils voulaient. Personne n'allait leur interdire quoi que ce soit.

— On va faire la vaisselle et les lits, déclara Eliza Jane, toujours mademoiselle Jordonne.

— Faisons de la crème glacée! proposa Royal.

Eliza Jane adorait la crème glacée. Elle hésita, puis faiblit :

— Eh bien...

Almanzo se précipita derrière Royal, qui se dirigeait vers la glacière. Ils sortirent de la sciure un bloc de glace et le mirent dans un sac à grains. Ils déposèrent le sac sur le porche de derrière et lui assenèrent des coups de hachette pour broyer la glace. Alice sortit pour les observer, tout en fouettant des blancs d'œufs en neige dans une écuelle. Elle les battit à la fourchette jusqu'au moment où ils furent assez fermes pour ne pas glisser, quand elle inclinait son récipient.

Eliza Jane, cependant, mesurait le lait et la crème, avant d'aller puiser du sucre dans un tonnelet du garde-manger. Ce n'était pas du sucre d'érable ordinaire, mais du sucre blanc, acheté chez l'épicier. Mère ne s'en servait que les jours où elle recevait des invités. Eliza Jane puisa six tasses de sucre, puis elle lissa si bien le contenu du tonnelet que c'est à peine si l'on se serait douté sur le sucre avait diminué.

Elle prépara un plein seau de crème anglaise, bien jaune. Ils déposèrent ensuite ce seau dans un baquet et empilèrent la neigeuse glace broyée tout autour. Ils ajoutèrent du sel et posèrent une couverture sur le tout. Toutes les cinq minutes, ils enlevaient la couverture, découvraient le seau et remuaient la crème, qui était en train de prendre.

Quand elle fut glacée, Alice sortit des soucoupes et des cuillers, cependant qu'Almanzo apportait un quatre-quarts et le couteau à découper. Il coupa d'énormes tranches de gâteau, pendant qu'Eliza Jane emplissait les soucoupes. Ils purent manger autant de glace et de gâteau qu'ils en eurent envie. Aucune grande personne n'était là pour s'interposer et les en empêcher.

A midi, ils avaient terminé le quatre-quarts et mangé presque toute la glace. Eliza Jane déclara qu'il était temps de préparer le déjeuner, mais les enfants ne voulaient pas déjeuner. Almanzo déclara :

— La seule chose qui me ferait plaisir, ce serait une pastèque.

D'un bond, Alice fut debout :

— Bonne idée! Allons en chercher une.

— Alice! protesta Eliza Jane. Reviens ici tout de suite. Il faut faire la vaisselle!

— J' la f'rai quand j' reviendrai! lui cria, de loin, Alice.

Alice et Almanzo pénétrèrent dans le champ de pastèques. Il y faisait chaud et les pastèques reposaient, toutes rondes, sur leurs feuilles plates, qui se fanaient. Almanzo heurtait du dos du doigt les écorces vertes, puis il prêtait l'oreille. Quand une pastèque résonnait d'une certaine manière, elle était mûre, mais quand elle rendait un autre son, elle était encore verte. Toutefois, si Almanzo prétendait qu'une pastèque rendait un son « mûr », Alice affirmait qu'elle avait un son « vert ». Il n'y avait aucun moyen d'être tout à fait certain d'avoir raison, même si Almanzo était persuadé qu'il en savait plus long que les filles au sujet des pastèques. Au bout du compte, ils décidèrent de cueillir six des plus grosses pastèques. Ils les rapportèrent à grand-peine, l'une après l'autre, jusqu'à la glacière, où ils les déposèrent sur la sciure humide et fraîche.

Alice regagna la maison pour faire la vaisselle. Almanzo lui avait dit qu'il ne ferait rien, sinon, peut-être, aller se baigner. Mais dès qu'Alice fut hors de vue, il se faufila entre les granges et se glissa dans le pré où se trouvaient les poulains.

Le pré était immense et le soleil, écrasant. L'air tremblait et vibrait sous l'effet de la chaleur; les petits insectes émettaient des sons stridents. Bess et Beauty s'étaient couchées à l'ombre d'un arbre. Près d'elles, les poulains, perchés sur leurs maigres et longues pattes trop écartées, agitaient leurs queues touffues. Les yearlings, les « deux ans » et les « trois ans » paissaient. Tous levèrent la tête et fixèrent Almanzo.

Il avança à pas lents vers eux en tendant une main ouverte. Il n'avait rien dans la main, mais les poulains l'ignoraient. Il n'avait d'autre intention que de les approcher suffisamment pour pouvoir les caresser. Starlight et l'autre petit poulain coururent sur leurs pattes chancelantes se réfugier auprès de leurs mères. Bess et Beauty levèrent la tête, la tournèrent vers lui, puis la baissèrent à nouveau. Les jeunes chevaux avaient tous dressé les oreilles.

L'un d'eux s'avança vers Almanzo, suivi par un autre. Tous les six approchaient, à présent. Almanzo regrettait de ne pas leur avoir apporté de carottes. Ils lui paraissaient si beaux, si libres, si grands, secouant ainsi leurs crinières et révélant le blanc de leurs yeux. Les rayons du soleil mettaient en valeur leurs encolures puissantes et arquées, les muscles de leurs poitrails. Soudain, l'un d'eux s'ébroua :

— Wouch !

Un autre se mit à ruer, un troisième lança un cri suraigu et tout à coup, ils redressèrent à nouveau la tête, levèrent la queue et se mirent à piaffer. Ils tournèrent leurs arrière-trains bruns et leurs hautes queues noires vers Almanzo. Les six jeunes chevaux passèrent en trombe autour de l'arbre et Almanzo les sentit arriver derrière lui.

Aussitôt, il pirouetta : il vit les sabots marteler le sol, les hauts poitrails qui se portaient droit sur lui. Les poulains couraient trop vite pour pouvoir s'arrêter. Almanzo n'avait plus le temps de se jeter hors de leur portée. Il ferma les yeux et hurla :

— Ho!

L'air et le sol vibrèrent. Il rouvrit les yeux. Il entrevit des genoux bruns qui s'élevaient dans les airs, un ventre rond, des pattes arrière qui volaient au-dessus de sa tête. Des flancs bruns filèrent de part et d'autre de lui dans un bruit de tonnerre. Son chapeau s'envola. Il restait là, comme frappé de stupeur. L'un des trois ans venait de sauter par-dessus lui. Ils galopaient tous en faisant claquer leurs sabots vers le bout du pré, quand Almanzo vit venir Royal.

— Laisse ces poulains tranquilles! hurla ce dernier.

Royal le rejoignit et lui dit que pour deux sous, il aurait volontiers donné à Almanzo une raclée dont celui-ci se serait souvenu longtemps.

— Tu devrais avoir le bon sens de ne

pas tourner autour des poulains, ajouta-t-il.

Il prit Almanzo par l'oreille. Almanzo se mit à trotter à ses côtés, mais Royal ne lui lâcha l'oreille qu'une fois parvenu aux étables. Almanzo affirma qu'il n'avait rien fait. Royal ne voulut rien entendre.

— Si je te reprends dans ce pré, l'avertit-il, je t'écorcherai vif. Et je le dirai à Père.

Almanzo s'éloigna en se frottant l'oreille. Il suivit le cours de la Trout et nagea dans le trou où il avait l'habitude de se baigner jusqu'au moment où il se sentit mieux. Il songeait tout de même qu'il n'était pas juste qu'il fût le plus petit de la famille.

A la fin de l'après-midi, les pastèques étaient rafraîchies. Almanzo les transporta sur l'herbe, au pied du sapin baumier de la cour. Royal planta le couteau à découper dans les écorces vertes, tout emperlées d'humidité. Ces pastèques étaient mûres à tel point que leur écorce se fendillait, quand on les ouvrait.

Almanzo, Alice, Eliza Jane et Royal mordirent à belles dents dans les tranches juteuses et fraîches. Ils en mangèrent à satiété. Almanzo recueillait les minces graines noires et les expédiait d'une pichenette sur Eliza Jane, mais au bout d'un moment, celle-ci le fit cesser. Il mangea alors avec lenteur l'ultime tranche de pastèque, puis il annonça :

— Je vais aller chercher Lucy pour qu'elle mange les écorces.

— Tu ne feras pas une chose pareille! protesta Eliza Jane. Quelle idée! Faire entrer un sale et vieux cochon comme celui-là dans la cour de devant!

— Ça n'est pas un sale et vieux cochon, en tout cas! s'indigna Almanzo. Lucy est une toute petite truie et elle est bien propre. D'abord, les cochons sont les plus propres de tous les animaux! Tu devrais voir comment Lucy entretient sa litière. Elle la retourne, l'aère, la remet en ordre tous les jours. Les chevaux ne font pas ça, ni les vaches, ni les moutons, ni aucune autre bête. Les cochons...

— Tu penses bien que je sais ça! Tu penses que j'en sais aussi long que toi sur les cochons! rétorqua Eliza Jane.

— Alors, tu n'as qu'à pas traiter Lucy de sale cochon! Elle est aussi propre que toi!

— Ecoute, Mère a dit que tu devais m'obéir, reprit Eliza Jane. Et crois bien que je ne vais pas gaspiller des écorces de pastèque pour un cochon! Je vais les mettre en conserve.

— Moi, j'estime que ces écorces, elles sont autant à moi qu'à toi... commença Almanzo.

Sur ce, Royal se leva et l'interrompit :

— Allez, viens, 'Manzo. C'est l'heure des bêtes.

Almanzo ne dit plus rien, mais quand toutes les corvées furent faites, il fit sortir Lucy de sa cage. La petite truie était aussi blanche qu'un agneau. Elle aimait beaucoup Almanzo : elle remuait sa petite queue en tire-bouchon chaque fois qu'elle l'apercevait. Elle le suivit en grognant de joie jusqu'à la maison, puis elle l'appela devant la porte en poussant des cris si aigus qu'Eliza Jane protesta. Cette bête lui faisait perdre la tête.

Après le dîner, Almanzo rassembla des restes sur une assiette et alla les porter à Lucy. Il s'assit sur les marches de derrière et gratta les soies hérissées de son dos. Les cochons aiment beaucoup cela. Dans la cuisine, Eliza Jane et Royal discutaient à propos de bonbons. Royal aurait aimé qu'elle en fît, mais Eliza Jane prétendait qu'on ne préparait les caramels qu'en hiver. Royal rétorquait qu'il ne voyait pas pourquoi les caramels ne seraient pas aussi agréables à manger en été. Comme Almanzo était de son avis, il rentra afin de prendre parti pour Royal.

Alice déclara à la ronde qu'elle savait faire les caramels. Comme Eliza Jane ne voulait pas s'en charger, Alice mélangea du sucre, de la mélasse et de l'eau, puis porta le tout à ébullition. Elle versa ensuite ce mélange sur des écuelles beurrées, qu'elle mit à refroidir sur la véranda. Ils relevèrent leurs manches et s'enduisirent les mains de beurre, avant d'en étirer des morceaux. Eliza Jane se beurra les mains, elle aussi.

Pendant tout ce temps, Lucy n'avait cessé d'appeler Almanzo. Ce dernier sortit pour vérifier si le caramel était suffisamment refroidi. Il se dit que sa petite truie aimerait certainement en manger un peu. Le caramel était tiède. Comme personne ne le regardait, il prit un grand morceau de caramel tendre et brun, puis il le laissa tomber du bord du porche dans la bouche grande ouverte de Lucy.

Ils commencèrent alors à étirer le caramel. Ils le tiraient en longs rubans, puis pliaient ces rubans en deux et les étiraient une fois encore. Chaque fois qu'ils les repliaient, ils en prenaient une bouchée au passage.

Ce caramel était très collant. Il leur collait aux dents, aux doigts, aux joues. Parfois des filaments se prenaient dans leurs cheveux et quand Almanzo en laissa tomber sur le plancher, il y adhéra fortement. Ce caramel aurait dû durcir et devenir cassant, mais il n'atteignait jamais la bonne consistance. Ils avaient beau tirer, le caramel restait tendre et pâteux. Ce n'est qu'une fois largement dépassée l'heure habituelle du coucher qu'ils renoncèrent et allèrent se mettre au lit.

Au matin, quand Almanzo sortit pour s'occu-

210

per des bêtes, Lucy l'attendait, immobile, dans la cour. Elle avait la queue pendante et la tête basse. Elle ne poussa pas de cris aigus en le voyant. Elle se contenta de secouer la tête d'un air triste et de plisser le groin.

Almanzo n'apercevait qu'une bande brune et lisse, là où il aurait dû voir ses dents blanches : les mâchoires de Lucy étaient soudées par le morceau de caramel. Elle était incapable de manger, de boire et même d'appeler. Elle ne pouvait plus grogner. Quand elle vit Almanzo approcher d'elle, elle prit la fuite.

Almanzo, d'un cri, fit sortir Royal. Ils pourchassèrent Lucy autour de la maison, sous les boules-de-neige et sous les lilas. Ils la poursuivirent à travers tout le jardin. Lucy tournoyait, faisait des écarts, les évitait et courait à perdre haleine, tout cela, sans émettre un son. Elle en aurait d'ailleurs été incapable, puisqu'elle avait du caramel plein la bouche.

Elle se faufila entre les jambes de Royal et du coup, lui fit perdre l'équilibre. Almanzo manqua l'attraper et se retrouva étendu tout de son long, face contre terre. Elle arracha les pois, écrasa les tomates mûres, déracina les choux pommés au passage. Eliza Jane ne cessait d'ordonner à Royal et à Almanzo de l'attraper. Alice s'élança à son tour dans la course à la truie.

Ils parvinrent enfin à la coincer. Elle s'était mise à tourner autour de la jupe d'Alice. Almanzo se jeta sur elle et s'en saisit. La truie se débattit et lui déchira l'avant de sa blouse.

Almanzo la maintint tête contre terre. Alice se cramponna à ses gigotantes pattes arrière. Royal lui ouvrit la bouche de force et gratta le caramel pour l'en débarrasser. C'est alors qu'il fallut entendre Lucy hurler! Elle poussa tous les cris qu'elle avait contenus toute la nuit, sans compter tous ceux qu'elle n'avait pu lancer pendant qu'ils la poursuivaient, puis elle se précipita, toujours en hurlant, vers sa cage.

212

— Almanzo James Wilder, si jamais je t'y reprends! le menaça, indignée, Eliza Jane.

Il se sentait impuissant, mais n'avait pas la moindre intention de recommencer.

Alice elle-même se déclara horrifiée d'apprendre qu'il avait donné du caramel à un cochon. En outre, sa blouse était perdue : on pourrait la réparer, mais la reprise resterait visible.

— Ça m'est égal, répondit Almanzo.

Il était tout heureux à la pensée que Mère ne serait pas mise au courant avant toute une longue semaine.

Ce jour-là, ils se firent à nouveau de la crème glacée et mangèrent le dernier quatre-quarts. Alice déclara qu'elle savait faire ces gâteaux-là. Elle leur dit qu'elle allait leur en préparer un et qu'ensuite, elle irait s'asseoir dans le salon.

Almanzo était en train de penser que cela n'aurait rien de bien amusant, quand il entendit Eliza Jane protester :

— Tu ne feras rien de la sorte, Alice. Tu sais parfaitement que le salon est réservé aux jours où l'on reçoit du monde.

Ce n'était pas le salon d'Eliza Jane et Mère n'avait nullement interdit à Alice d'aller s'y asseoir. Almanzo estimait que cette dernière pouvait s'installer dans le salon, si cela lui chantait.

Dans l'après-midi, il se rendit à la cuisine pour voir si le quatre-quarts était prêt. Alice le sortait du four. Le gâteau sentait si bon qu'Almanzo en cassa un petit morceau dans un angle. Alice en coupa alors une tranche pour masquer le coin brisé, puis ils en mangèrent deux autres tranches avec la fin de la crème glacée.

— Je pourrais faire encore de la crème glacée, suggéra Alice.

Comme Eliza Jane se trouvait à l'étage, Almanzo proposa plutôt :

— Allons au salon.

Ils y pénétrèrent sans faire de bruit. La lumière y était tamisée, parce que les stores étaient baissés. La pièce leur parut très belle. Le papier peint était blanc et or. Le tapis était un exemple de ce que Mère faisait de plus fin en matière de tissage : il était presque trop beau pour qu'on le foulât. Le guéridon à plateau de marbre supportait une grande lampe de porcelaine blanche et or, à décor de roses roses. L'album de photographies, couvert de velours rouge et nacré, reposait près du pied.

Les fauteuils, couverts d'étamine, étaient adossés aux murs et le portrait de George Washington, à l'austère visage, était accroché entre les fenêtres.

Alice repoussa sa crinoline et s'assit sur le sofa. L'étamine en était si glissante qu'elle se retrouva sur le plancher. Elle se retint d'éclater de rire, de crainte qu'Eliza Jane ne l'entendît. Elle reprit place sur le sofa... et glissa une nouvelle fois. Là-dessus, Almanzo se laissa couler de son fauteuil.

Quand les parents recevaient des invités et que les enfants étaient priés de les rejoindre au salon, ils se maintenaient à grand-peine sur ces fauteuils en s'appuyant du bout des orteils contre le plancher. Mais pour une fois, ils avaient la possibilité de ne pas se retenir et de se laisser glisser jusqu'à terre. Ils glissèrent du sofa et des fauteuils jusqu'au moment où Alice fut prise d'un tel fou rire qu'ils n'osèrent continuer.

Ils examinèrent alors les coquillages, le corail et les petites poupées en porcelaine, qui garnissaient l'étagère. Ils ne touchèrent à rien, mais se contentèrent de tout admirer jusqu'à ce qu'ils entendissent Eliza Jane descendre. Ils sortirent alors en hâte du salon, toujours sur la pointe des pieds, puis ils en refermèrent doucement la porte. Eliza Jane ne s'aperçut de rien.

Ils avaient tous cru que cette semaine-là durerait une éternité. Ils découvrirent brutalement qu'elle était écoulée. Un matin, au petit déjeuner, Eliza Jane annonça :

— Père et Mère seront là demain.

Ils cessèrent tous de manger. Le jardin n'avait pas été désherbé. Les pois et les haricots n'avaient pas été cueillis, aussi leurs vrilles commençaient-elles à jaunir. Le poulailler n'avait pas été passé à la chaux.

— La maison est dans un état lamentable, poursuivit Eliza Jane, et il faut baratter aujourd'hui. Mais qu'est-ce que je vais bien pouvoir dire à Mère? Le sucre est terminé.

Aucun d'eux n'osa plus avaler la moindre bouchée. Ils s'en furent examiner le tonnelet de sucre : on en voyait le fond. Seule, Alice s'efforça de prendre les choses avec optimisme :

— Il faut espérer que tout se passera bien, dit-elle, en reprenant une expression favorite de Mère. Après tout, il en reste encore un peu. Mère avait dit : « Ne mangez pas *tout* le sucre. » Nous n'avons pas tout mangé. On en voit encore sur les bords.

C'est ainsi que débuta cette terrible journée. Ils se mirent tous au travail avec ardeur. Royal et Almanzo binèrent le jardin, blanchirent le poulailler, nettoyèrent les stalles des vaches et balayèrent l'Aire de l'Etable Sud. Pendant ce temps, les filles balayaient et lavaient la maison. Eliza Jane contraignit Almanzo à baratter jusqu'à ce que le beurre fût formé, puis ce dernier eut l'impression de voir les mains de sa sœur voler, tandis qu'elle lavait, salait et mettait en baquet ce beurre. Ils n'eurent que du pain, du beurre et de la confiture en guise de déjeuner, bien qu'Almanzo se sentît une faim de loup.

— Et maintenant, Almanzo, va astiquer le fourneau, ordonna Eliza Jane.

Almanzo détestait faire briller les fourneaux, mais il espérait qu'Eliza Jane ne raconterait pas qu'il avait gaspillé du caramel en le donnant à sa truie. Il se mit au travail avec une brosse et de la pâte. Eliza Jane ne cessait de le presser et de critiquer son travail.

— Fais bien attention de ne pas gaspiller la pâte, recommandait-elle, tout en époussetant les meubles avec fièvre.

Almanzo estimait qu'il avait suffisamment l'habitude de ce travail pour ne pas répandre en vain de la pâte. Il ne fit toutefois aucun commentaire.

— Prends moins d'eau, Almanzo. Et miséricorde! Frotte avec plus d'énergie que ça!

Almanzo ne releva toujours pas.

Eliza Jane entra alors dans le salon pour y faire le ménage. De là, elle lui cria :

— Alors, Almanzo, c'est terminé, ce fourneau?

— Non, répondit Almanzo.

— Mais misère! Ne lambine donc pas comme ça!

Almanzo marmotta :

— Qui est-ce que tu crois que tu commandes?

Eliza Jane voulut savoir :

— Qu'est-ce que tu viens de dire?

— Rien, répondit Almanzo.

Eliza Jane interrompit son travail pour venir à la porte lui demander :

— Je suis sûre que tu as dit quelque chose.

Almanzo se redressa et lui cria :

— J'ai dit : « QUI EST-CE QUE TU CROIS QUE TU COMMANDES? »

Eliza Jane en eut le souffle coupé, puis elle riposta :

— Attends un peu, Almanzo James Wilder! Attends que je raconte à Mè...

Almanzo n'avait pas vraiment eu l'intention de lancer la brosse à la tête de sa sœur. Elle lui échappa des mains. Elle alla voler au-dessus de la tête d'Eliza Jane. Pan! Elle s'était écrasée sur le mur du salon.

Une grosse tache de pâte noire venait d'apparaître sur le papier blanc et or.

Alice poussa un cri comme si on l'égorgeait. Almanzo pivota et s'enfuit dans la grange. Il grimpa dans le fenil et s'y cacha. Il ne pleura pas, mais il l'aurait fait, s'il n'avait pas eu presque dix ans.

A son retour, Mère allait découvrir qu'il avait abîmé son beau salon. Père l'emmènerait dans le bûcher et le corrigerait avec le fouet. Il aurait voulu pouvoir ne plus jamais sortir du foin. Il

218

aurait aimé pouvoir demeurer là jusqu'à la fin des temps.

Longtemps après, Royal vint l'appeler dans le fenil. Almanzo sortit à quatre pattes du foin. Dès qu'il vit Royal, il comprit que celui-ci était au courant.

— Mon petit vieux, tu vas recevoir une fameuse volée, dit Royal.

Royal le regrettait, mais il n'y pouvait rien changer. Ils savaient l'un et l'autre qu'Almanzo méritait d'être fouetté et qu'il n'y aurait pas moyen de cacher à Père ce qu'il avait fait.

— Ça m'est égal, dit, résigné, Almanzo.

Il alla faire sa part de corvées, puis se rendit à table. Il n'avait pas faim, mais il mangea pour montrer à Eliza Jane que son sort futur lui était indifférent. Il monta ensuite se coucher. La porte du salon était refermée, mais il se souvenait de l'effet que faisait la tache noire sur le papier blanc et or.

Le lendemain, Père et Mère firent leur entrée dans la cour avec le boghei. Almanzo dut sortir avec ses frères et sœurs pour les accueillir. Alice lui glissa :

— Ne t'en fais pas trop. Peut-être qu'ils ne diront rien.

Elle aussi, pourtant, avait l'air inquiet.

Père leur dit gaiement :

— Eh bien, nous voilà. Tout va bien ?

— Oui, Père, lui répondit Royal.

Almanzo n'alla pas les aider à dételer les chevaux. Il rentra.

Mère fit vivement le tour de la maison, examinant tout au passage, tandis qu'elle dénouait les rubans de sa capeline.

— Je n'en reviens pas! Eliza Jane et Alice, vous avez tenu la maison aussi bien que je l'aurais fait moi-même! les complimenta-t-elle.

— Mère... commença Alice, d'une petite voix. Mère...

— Eh bien, ma petite, qu'y a-t-il?

— Mère, reprit Alice, courageuse. Tu nous avais demandé de ne pas manger *tout* le sucre. Mère, nous... nous avons presque tout mangé.

Mère se mit à rire.

— Vous avez tous été si gentils que je ne vous gronderai pas à propos du sucre, promit-elle.

Elle ignorait l'existence de la tache noire sur le mur du salon. La porte de la pièce était demeurée fermée. Elle ne la découvrit ni ce jour-là, ni le lendemain. Almanzo avait la plus grande peine à avaler ce qu'on lui servait aux repas. Mère s'en inquiéta. Elle l'emmena dans la dépense et lui fit avaler une grande cuillerée d'un horrible médicament de couleur noire, qu'elle préparait à base de racines et d'herbes.

Il aurait aimé qu'elle s'aperçût le plus tard possible de l'existence de la tache noire, mais en même temps, il souhaitait qu'elle la connût déjà, car une fois passé le pire, il n'aurait plus eu à se tourmenter.

Au cours du second soir, ils entendirent une carriole entrer dans la cour : M. et Mme Webb venaient en visite. Père et Mère sortirent pour les saluer. Quelques instants plus tard, ils pénétraient tous dans la salle à manger. Almanzo entendit Mère proposer :

— Entrons donc dans le salon!

Il demeura pétrifié. Il aurait été incapable de parler. C'était pire que tout ce qu'il avait pu imaginer. Mère était si fière de son beau salon! Elle était si heureuse de le savoir toujours maintenu en parfait état. Elle ignorait qu'il le lui avait abîmé et voilà qu'elle y faisait entrer des invités! Ils allaient tous voir la tache noire.

Mère ouvrit la porte du salon et pénétra dans la pièce. Mme Webb l'y suivit, puis ce fut le tour de M. Webb et de Père. Almanzo ne voyait plus que le dos des grandes personnes, mais il entendait le bruit des stores qu'on relevait. Il se rendit compte que la lumière pénétrait à flots dans le salon. Il lui sembla qu'il s'écoulait un long moment sans qu'une parole fût échangée. Puis Mère proposa :

— Prenez donc ce grand fauteuil, M. Webb, et installez-vous confortablement. Venez vous asseoir ici sur le sofa, Mme Webb.

Almanzo se demanda s'il entendait bien : Mᵐᵉ Webb était en train de féliciter Mère :

— Comme vous avez un beau salon. Je n'en reviens pas : il est si beau que c'est à peine si l'on ose s'y asseoir.

Un instant plus tard, Almanzo découvrait l'endroit où la brosse avait touché le mur. Il n'en crut pas ses yeux : le papier blanc et or était intact! Il n'y avait plus trace de tache noire.

Mère l'aperçut et l'appela :

— Entre donc, Almanzo.

Almanzo entra. Il s'assit bien droit sur un fauteuil couvert d'étamine et prit appui du bout des orteils sur le plancher. Père et Mère racontaient leur séjour chez l'oncle Andrew. Il n'y avait pas l'ombre d'une tache noire sur le mur.

— N'avez-vous pas été inquiets de laisser les enfants ici, pendant que vous étiez là-bas? demanda Mme Webb.

— Non, lui répondit Mère, non sans un soupçon d'orgueil dans la voix. Je savais que les enfants prendraient soin de tout comme si James et moi étions restés à la maison.

Almanzo se tint comme on le lui avait appris et resta muet.

Le lendemain, à un moment où personne ne regardait, il se glissa dans le salon. Il examina avec soin l'endroit où il avait fait la tache noire. Quelqu'un avait fait un raccord au papier peint. Le raccord avait été soigneusement découpé en suivant les contours des enroulements dorés, le dessin, ajusté avec précision, les bords, grattés et si bien amincis qu'Almanzo avait du mal à les déceler.

Il attendit de se retrouver seul avec Eliza Jane pour lui demander :

— Eliza Jane, est-ce que c'est toi qui as fait

pour moi un raccord au papier peint du salon?

— Oui, reconnut-elle. Je suis allée chercher des chutes de papier peint au grenier, j'y ai découpé un raccord et je l'ai posé avec de la colle forte.

Almanzo lui dit, d'un ton bourru :

— Je regrette de t'avoir lancé cette brosse à la tête. Vrai de vrai, je ne voulais pas le faire, Eliza Jane.

— Bah, je crois que j'étais exaspérante, admit-elle. Mais je n'avais pas l'intention de t'agacer à ce point-là. Après tout, tu es le seul petit frère que j'ai.

Almanzo ne s'était encore jamais douté à quel point il aimait Eliza Jane.

Jamais, jamais aucun d'eux ne raconta l'histoire de la tache noire sur le mur du salon et Mère n'en connut jamais l'existence.

CHAPITRE 19

LES PREMIÈRES RÉCOLTES

Le temps de la fenaison était arrivé. Père sortit les faux. Almanzo fit tourner la meule d'une main, tout en l'arrosant d'un petit filet d'eau de l'autre, cependant que Père présentait doucement le bord des lames d'acier contre la meule qui ronflait. L'eau empêchait les lames des faux de trop chauffer, tandis que la pierre en aiguisait les lames.

Almanzo s'en fut alors dans la forêt jusqu'aux petites cabanes des Français. Il demanda à French Joe, Joe le Français, et à Lazy John,

225

Jean Le Paresseux, de venir les aider, le lendemain matin.

Dès que le soleil eut bu la rosée des prés, Père, Joe et John commencèrent à faire les foins. Ils avançaient côte à côte, balançant les faux dans l'herbe haute. Les tiges couronnées d'aigrettes des fléoles des prés tombaient en longs andains réguliers.

Chuit! Chuit! Chuit! sifflaient les faux, tandis qu'Almanzo, Pierre et Louis les suivaient pour étaler à la fourche les lourds andains et leur permettre de bien sécher au soleil. Le chaume était doux et frais sous leurs pieds nus. Des oiseaux s'envolaient devant les faucheurs. De temps à autre, un lapin sautait et s'enfuyait en bondissant. Très haut, dans le ciel, les sturnelles chantaient.

Le soleil monta. L'odeur du foin se fit plus entêtante et plus sucrée. Bientôt, des vagues de chaleur montèrent du sol. Les bras bronzés d'Almanzo prirent une teinte plus foncée, la sueur lui perla au front. Les hommes s'arrêtèrent pour glisser des feuilles vertes dans le fond de leur chapeau. Les garçons suivirent leur exemple. Durant un court moment, ces feuilles leur donnèrent une impression de fraîcheur.

Au milieu de la matinée, Mère souffla dans la corne du déjeuner. Almanzo savait ce que signifiait cet appel. Il planta sa fourche dans le

226

sol et s'en fut en courant et en gambadant à travers les prés jusqu'à la maison. Mère sortit sur le porche arrière pour lui donner le seau à lait, plein à ras bords d'*egg-nog* froid.

Ce lait de poule était fait de lait, de crème, d'une grande quantité de jaunes d'œufs et de sucre. La surface mousseuse en était saupoudrée d'épices et l'on y voyait flotter des glaçons. Les parois du seau étaient perlées de fines gouttelettes, tant il était froid.

Almanzo retraversa les prés avec lenteur et précaution, chargé du lourd seau et du gobelet muni d'un long manche. Il trouvait que le seau était trop plein et redoutait de renverser une partie de son contenu. Mère disait toujours que gaspiller était un péché. Il était persuadé que ce serait en effet un péché que de gaspiller la moindre goutte de cet egg-nog. Il fallait faire quelque chose pour l'éviter. Il posa le seau, y puisa un plein gobelet et but. Il avala d'un trait l'egg-nog glacé et sentit aussitôt une impression de fraîcheur l'envahir.

Quand il arriva au pré qu'ils fauchaient, tous s'arrêtèrent de travailler. Ils allèrent se mettre à l'ombre d'un chêne et repoussèrent leurs chapeaux. Ils se passèrent alors le gobelet de main en main jusqu'à ce que tout l'egg-nog eût été bu. Almanzo but sa part comme les autres. La brise leur paraissait rafraîchissante, à présent. Lazy John essuya la mousse qui frangeait sa moustache et s'exclama :

— Ah! C'est ça qui met du cœur au ventre!

Les hommes affilèrent leurs faux et les pierres chantèrent gaiement au contact des lames d'acier. Ils se remirent au travail de bon cœur. Père soutenait toujours qu'un homme pouvait abattre plus de travail au cours de sa journée de douze heures, si on lui accordait des pauses et tout l'egg-nog qu'il pouvait boire, le matin et l'après-midi.

Ils demeurèrent dans ce pré tant qu'il y eut assez de lumière, puis ils s'en furent soigner les bêtes en s'éclairant à la lanterne.

Au matin, les andains étaient secs. Les garçons les ratissèrent avec de grands fauchets de bois léger que Père avait fabriqués. Joe et John continuèrent à couper le foin, tandis que Pierre et Louis étalaient les andains derrière eux. Mais Almanzo fut employé à charger la gerbière, équipée de ridelles. Père était allé la chercher aux dépendances et les chevaux l'avaient tirée jusqu'au pré. Père et Royal y jetèrent les andains, cependant qu'Almanzo les foulait pour les tasser. Il courait d'avant en arrière et d'arrière en avant sur le foin à l'odeur sucrée. Il tassait les fourchées au fur et à mesure que Père et Royal les lui lançaient.

Quand la gerbière fut pleine, il se trouva haut

perché, au sommet de la charge. Il se coucha alors sur le ventre, les pieds en l'air, et se laissa conduire par Père jusqu'à la Grande Etable. La charge de foin passa tout juste sous la porte et Almanzo fit une très longue glissade pour regagner le sol.

Père et Royal jetèrent le foin à la fourche dans le fenil, tandis qu'Almanzo se rendait au puits avec la cruche. Il pompa, fit un bond en avant et alla recueillir dans le creux de sa main l'eau froide et jaillissante, dont il se désaltéra. Il porta la cruche à Père et à Royal, puis il retourna la remplir. Il se laissa alors transporter dans la gerbière vide jusqu'au pré avant de recommencer à tasser une nouvelle charge.

Almanzo aimait la fenaison. Il travaillait de l'aube à la nuit tombée, mais il était sans cesse employé à des tâches différentes. C'était pour lui comme un jeu. En outre, le matin et l'après-midi, il avait la joie de boire de l'egg-nog bien frais. Au bout de trois semaines, les fenils étaient pleins à craquer et les prés, dénudés. C'est alors que la fièvre du temps de la moisson s'empara de toute la ferme.

Les épis d'avoine, drus, hauts et jaunis, étaient mûrs. Le blé doré avait pris une couleur plus soutenue que l'avoine. Les haricots parvenaient à maturité. Les citrouilles, les carottes et les pommes de terre étaient bonnes à récolter.

Nul n'avait plus le temps de flâner ou de jouer, à présent. Ils se levaient tous à la lueur de la bougie et se couchaient de même. Mère et les sœurs préparaient toutes sortes de condiments avec les concombres, les tomates vertes, les écorces de pastèque. Elles faisaient sécher du maïs et des pommes pour les mettre en conserve. Tout devait être traité, rien ne devait être gaspillé des offrandes de l'été. Les trognons de pommes étaient employés à faire du vinaigre et une botte de paille d'avoine trempait constamment dans une bassine, sur la véranda de derrière. Chaque fois que Mère disposait d'une minute, elle tressait sur quelques centimètres la paille d'avoine dont elle ferait les chapeaux de l'été prochain.

On ne coupait pas l'avoine avec des faux ordinaires, mais avec des faux à râteaux. Outre les lames, ces faux étaient garnies de longues dents en bois qui retenaient les tiges coupées. Quand ils en avaient assez coupé pour faire une brassée, Joe et John laissaient glisser les tiges de leurs faux en javelles sur le sillon. Père, Royal et Almanzo avançaient à leur suite et liaient ces javelles en gerbes.

Almanzo n'avait encore jamais mis de l'avoine en gerbe. Père lui montra comment nouer deux poignées de brins d'avoine pour faire un grand lien, puis comment ramasser une brassée, comment glisser et serrer fortement le lien au niveau du milieu des tiges, comment en tordre les deux bouts avant de les rentrer, bien serrés, entre la gerbe et le lien.

En peu de temps, il sut lier une gerbe de façon convenable, sinon rapide. Père et Royal gerbaient l'avoine au rythme où les faucheurs la coupaient.

Un tout petit peu avant le coucher du soleil, les faucheurs cessèrent leur travail et tout le monde commença à mettre les gerbes en moyettes. Toute l'avoine coupée devait être ainsi dressée en petites meules avant la nuit, si l'on ne voulait pas voir la rosée les abîmer.

Almanzo faisait les moyettes aussi bien que

les autres. Il dressait dix gerbes sur leur base, en les serrant les unes contre les autres et en maintenant bien les épis vers le ciel. Puis il posait deux autres gerbes sur le dessus et il en écartait les tiges pour qu'elles servent de toit aux dix premières. Les moyettes ressemblaient à des huttes indiennes, ainsi disséminées sur le champ couvert de chaume pâle.

Déjà, le champ de blé attendait. Il n'y avait pas de temps à perdre. Dès que toute l'avoine fut en moyettes, ils se hâtèrent d'aller moissonner, lier en gerbes et mettre en moyettes les blés. Ils étaient plus difficiles à manipuler que l'avoine, parce qu'ils étaient plus lourds, mais Almanzo fit courageusement de son mieux. Vint le tour du champ d'avoine et des pois du Canada. Les vrilles des pois s'étaient accrochées aux tiges d'avoine, si bien que cette dernière ne pouvait être mise en meulettes. Almanzo la ratissa en longs andains.

Il était grand temps, maintenant, d'arracher les haricots blancs. Alice dut venir les aider. Père transporta les piquets destinés à soutenir les haricots jusqu'au champ, puis il les planta dans le sol à grand renfort de coups de maillet. Père et Royal emportèrent alors les meulettes d'avoine jusqu'aux granges, cependant qu'Almanzo et Alice se chargeaient des haricots.

Ils commencèrent par ranger des pierres

autour des piquets, afin d'isoler les haricots du sol. Puis ils arrachèrent les haricots. Ils tiraient à deux mains tous les pieds qu'ils pouvaient saisir à la fois. Ils les portaient ensuite jusqu'aux piquets, y appuyaient les racines et étalaient les longues tiges sur les pierres.

Couche après couche, les haricots s'empilaient autour des piquets. Les racines étaient plus importantes que les tiges, aussi la pile ne cessait-elle de s'élever. Les tiges emmêlées, chargées de cosses bruissantes, pendaient, la tête en bas, en tous sens, vers l'extérieur.

Quand les racines entassées eurent atteint le sommet d'un piquet, Almanzo et Alice disposèrent quelques tiges par-dessus, afin de former un petit toit protecteur contre la pluie. Quand ce séchoir à haricots fut prêt, ils entreprirent de charger le suivant.

Les piquets étaient de la taille d'Almanzo et les tiges s'arrondissaient autour d'eux comme la robe à crinoline d'Alice autour de la petite fille.

Un jour, en rentrant déjeuner à la maison, Almanzo et Alice y trouvèrent le marchand de beurre. Il venait chaque année de New York. Il était vêtu avec l'élégance d'un homme de la ville, arborait une montre et une chaîne en or, et il possédait un bel attelage. La visite du marchand de beurre faisait plaisir à tous, car le déjeuner était très intéressant quand il était là. Il apportait les dernières nouvelles à propos de la politique, de la mode et des prix qui se pratiquaient à New York.

Après le déjeuner, Almanzo retourna travailler, mais Alice demeura auprès de Mère pour voir celle-ci vendre son beurre.

Le marchand de beurre descendit à la cave, où les baquets de beurre étaient alignés, couverts de morceaux de tissu blanc bien propre. Mère enleva les tissus et le marchand inséra sa longue sonde d'acier dans le beurre, jusqu'au fond de chaque baquet.

La sonde était creuse et comportait une fente sur un côté. Quand le marchand la retirait, un long échantillon de beurre demeurait dans la fente.

Mère ne marchandait pas. Elle disait, non sans fierté :

— Mon beurre·se passe de commentaires.

Aucun échantillon, quel que soit le baquet où il avait été prélevé, ne révélait la moindre strie. Du haut en bas, dans tous les baquets, le beurre de Mère avait la même couleur jaune d'or, le même aspect ferme et agréable.

Almanzo vit le marchand de beurre repartir, puis Alice revenir en sautillant jusqu'au champ de haricots, en balançant sa capeline par les rubans. Elle lui cria :

— Devine ce qu'il a dit !

— Quoi donc?

— Il a dit que le beurre de Mère était le meilleur beurre qu'il avait jamais vu! Et il le lui a payé... Devine ce qu'il le lui a payé... Cinquante... cents... la... livre!

Almanzo était stupéfait. Il n'avait jamais entendu dire qu'on eût acheté le beurre un tel prix.

— Elle en avait cinq cents livres, poursuivit Alice. Ça fait deux cent cinquante dollars! Il lui a remis tout cet argent et elle est en train d'atteler pour le porter à la banque.

Aussitôt après, ils virent Mère s'éloigner dans le cabriolet, coiffée de sa capeline de tous les jours et vêtue de sa robe d'alépine noire. Elle partait pour la ville en plein après-midi, un jour de semaine, au moment de la moisson. Elle n'avait encore jamais fait une chose pareille. Mais Père était aux champs et elle ne voulait pas garder une somme aussi considérable toute une nuit à la maison.

Almanzo était fier. Sa mère était sans doute la meilleure productrice de beurre de tout l'Etat de New York. Les gens de la ville de New York se vanteraient l'un à l'autre son excellence, quand ils le mangeraient, puis ils se demanderaient qui l'avait préparé.

CHAPITRE 20

LES RÉCOLTES
DE LA FIN DE L'ÉTÉ

La lune de septembre brillait, désormais, ronde et jaune au-dessus des champs. L'air était si frais que l'on s'attendait à voir apparaître la gelée blanche. Le maïs avait été coupé et mis à sécher en hautes meules. La lune projetait leurs ombres noires sur le sol, où les citrouilles, que rien n'abritait plus, reposaient sur leurs feuilles rabougries.

La citrouille qu'Almanzo avait nourrie au lait était énorme. Il la sépara avec précaution de sa tige, mais il ne put la soulever; il fut même incapable de la faire rouler. Père la déposa sur le chariot, la transporta avec soin jusqu'à la grange et l'y installa sur une couche de foin, en attendant l'époque de la foire du comté.

Almanzo fit rouler toutes les autres citrouilles en tas et Père les transporta jusqu'aux dépendances. Les plus belles furent mises à la cave pour être transformées en tourtes; les autres furent entassées sur l'Aire de la Grange Sud. Chaque soir, Almanzo en découpait quelques-unes à la hachette pour les donner aux vaches, aux bœufs et aux veaux.

Les pommes étaient mûres. Almanzo, Royal et Père dressèrent les échelles contre les pommiers et se perchèrent dans les cimes feuillues. Ils cueillèrent une à une toutes les belles pommes et les déposèrent avec précaution dans des paniers. Père regagna lentement la maison avec la charretée de paniers, puis Almanzo l'aida à porter les paniers à la cave et à ranger les pommes dans les casiers qui les attendaient. Ils ne cognèrent aucun fruit, car un fruit taché pourrit vite et une pomme abîmée peut endommager tout un casier.

La cave prenait son odeur d'hiver, faite de celles des pommes et des conserves mêlées. Les jattes à lait de Mère avaient été remontées dans la dépense, où elles resteraient jusqu'au printemps.

Une fois toutes les pommes parfaites cueillies, Almanzo et Royal purent secouer les arbres. C'était très amusant. Ils secouaient les pommiers de toutes leurs forces et les fruits s'abattaient comme de la grêle. Ils les ramassaient et les jetaient dans le chariot; elles étaient destinées à faire du cidre. Almanzo pouvait en prendre une bouchée au passage, chaque fois que l'envie lui en prenait.

Il était temps, à présent, de rentrer les produits du potager. Père emporta les pommes au pressoir. Il demanda à Almanzo de rester à la ferme pour arracher les betteraves, les navets et les panais, puis de les descendre à la cave. Almanzo arracha ensuite les oignons. Alice en tressa les tiges séchées en longues nattes. Les oignons ronds pendaient, serrés les uns contre les autres, des deux côtés de ces nattes. Mère les suspendit au grenier. Almanzo s'en fut alors récolter les piments. Alice enfila une aiguille à repriser et se mit à coudre les piments rouges comme des perles sur une ficelle. Ils furent pendus à côté des oignons.

Père rentra ce soir-là avec deux grands tonneaux de cidre. Il les fit rouler dans la cave. Il y aurait une quantité bien suffisante de cidre pour attendre la prochaine récolte de pommes.

Le lendemain matin, un vent froid se mit à souffler. Des nuages annonciateurs de tempête

238

roulaient dans le ciel gris. Père avait l'air inquiet. Il était grand temps d'arracher les carottes et les pommes de terre.

Almanzo enfila ses chaussettes et ses mocassins, se coiffa de sa casquette, mit son manteau et ses moufles, tandis qu'Alice prenait son capuchon et son châle. Elle allait les aider.

Père attela Bess et Beauty à la charrue et traça un sillon de part et d'autre des longues rangées de carottes. Les carottes demeuraient perchées au sommet d'une mince crête de terre, si bien qu'il devenait aisé de les arracher. Almanzo et Alice les tiraient aussi vite qu'ils le pouvaient, cependant que Royal coupait les fanes et jetait les carottes dans le tombereau. Père les transporta ensuite à la ferme et les pelleta dans une glissière qui reliait la cour aux casiers à carottes de la cave.

Les petites graines rouges qu'Almanzo et Alice avaient plantées avaient bien poussé. Mère pourrait en faire cuire autant qu'elle le désirerait; les chevaux et les vaches recevraient des carottes crues tout au long de l'hiver.

Lazy John vint prendre part à l'arrachage des pommes de terre. Père et John les sortaient à la houe; Alice et Almanzo les ramassaient, les jetaient dans des paniers, puis vidaient les paniers dans un tombereau. Royal laissait un tombereau vide dans le champ, pendant qu'il conduisait celui qui était chargé jusqu'à la maison, où il pelletait les pommes de terre par l'ouverture de la cave pour qu'elles s'entassent dans leurs casiers. En son absence, Almanzo et Alice se dépêchaient d'emplir le tombereau qu'il leur avait laissé.

Ils prenaient à peine le temps de s'arrêter pour manger à midi. Ils travaillaient le soir jusqu'à la nuit tombée. S'ils ne parvenaient pas à rentrer les pommes de terre avant les gelées, tout le travail qui aurait été accompli dans le champ, cette année-là, aurait été vain. Père serait contraint d'acheter des pommes de terre.

— Je n'ai jamais vu un temps comme celui-là, à cette époque de l'année, remarqua Père, un jour.

Tôt, ce matin-là, avant même le lever du soleil, ils étaient déjà en plein travail. Le soleil ne parut pas. Seuls, de lourds nuages gris planaient au-dessus de leurs têtes. Le sol était glacé, les pommes de terre, froides. Une bise aigre soulevait la poussière qui piquait les yeux d'Almanzo. Alice et lui étaient encore ensommeillés. Ils auraient voulu se presser, mais ils avaient si froid aux doigts qu'ils en devenaient malhabiles et laissaient tomber des pommes de terre.

Alice s'indigna :

— J'ai tellement froid au nez! Nous avons

bien des oreillettes. Pourquoi est-ce qu'on n'aurait pas quelque chose pour se protéger le nez?

Almanzo alla dire à Père qu'ils avaient froid, mais Père lui recommanda simplement :

— Travaille plus vite, fils. L'exercice te donnera chaud.

Ils essayèrent, mais ils avaient vraiment trop froid pour pouvoir se hâter beaucoup plus. Quand Père se retrouva en train de piocher à leur hauteur, il suggéra :

— Fais donc un feu avec les pieds secs des pommes de terre, Almanzo. Ça te réchauffera.

Alice et Almanzo ramassèrent un énorme tas de tiges séchées. Père donna une allumette à Almanzo pour qu'il y mette le feu. La petite flamme s'empara d'une feuille sèche, courut avec impatience le long de la tige. Le feu se mit à craquer, gagna d'autres tiges, se rua en rugissant vers le ciel. Le champ tout entier parut en être réchauffé.

Ils travaillèrent longtemps. Chaque fois qu'Almanzo avait trop froid, il courait entasser de nouveaux pieds sur le feu. Alice tendait ses mains terreuses vers les flammes et le feu se reflétait comme un soleil sur son visage.

— J'ai faim, lui confia Almanzo.

— Et moi, donc! renchérit Alice. Ce doit bientôt être l'heure du déjeuner.

Almanzo, qui ne pouvait se fier aux ombres

sur le sol, était incapable de lui répondre. Ils travaillèrent encore un bon moment, mais n'entendirent toujours pas souffler la corne du déjeuner. Almanzo se sentait un grand creux à l'estomac.

Il assura :

— On l'entendra avant d'arriver au bout de ce sillon.

Ils guettèrent en vain. Almanzo se dit qu'il avait dû se passer quelque chose. Il alla trouver Père :

— Je pense que ça devrait être l'heure du déjeuner.

John eut un rire moqueur, mais Père expliqua :

— C'est à peine le milieu de la matinée, fils.

Almanzo retourna ramasser des pommes de terre. Père lui lança alors :

— Mets donc une pomme de terre sous la cendre, Almanzo. Ça te coupera un peu l'appétit.

Almanzo glissa deux grosses pommes de terre dans les cendres chaudes : une pour Alice et une pour lui. Il les recouvrit de cendres et empila de nouveaux pieds de pommes de terre sur le feu. Il savait bien qu'il aurait dû retourner travailler, mais il demeurait là, baignant dans une chaleur agréable, tout en attendant que les pommes de terre soient cuites. Il n'avait pas bonne conscience, mais il avait bien chaud et se disait :

— Il faut bien que je reste là pour faire rôtir ces pommes de terre.

Il savait qu'il n'aurait pas dû laisser Alice travailler toute seule, mais il pensait :

— Je suis en train de lui faire cuire sa pomme de terre.

Il perçut soudain un léger sifflement. Un jet brûlant l'atteignit au visage et il sentit quelque chose s'y coller. Il poussa un hurlement. La souffrance était intolérable et il n'y voyait plus.

Il entendit des appels, des bruits de course. Des grandes mains arrachèrent les siennes qu'il avait plaquées sur son visage. Père lui renversa la tête en arrière. Lazy John parlait français et Alice gémissait :

— Oh, Père! Oh, Père!

— Ouvre les yeux, fils, demanda Père.

Almanzo essaya, mais il ne parvint qu'à en ouvrir un. Du pouce, Père retroussa l'autre paupière, ce qui était douloureux, puis il annonça :

— Ce n'est rien. L'œil n'est pas atteint.

L'une des pommes de terre avait éclaté et la chair brûlante était venue frapper Almanzo. Heureusement, la paupière s'était fermée à temps. Il était brûlé à la paupière et à la joue.

Père lui fit un bandeau de son mouchoir, puis retourna travailler avec Lazy John.

Almanzo ne s'était pas douté qu'une brûlure pût faire tant de mal. Il prétendit pourtant devant Alice que ce n'était pas douloureux... pas trop. Il prit un bâton et sortit l'autre pomme de terre des cendres.

— Je pense que c'est ta pomme de terre, dit-il, en reniflant.

Il ne pleurait pas vraiment, mais des larmes s'obstinaient à lui monter aux yeux et son nez s'était mis à couler.

— Non, c'est la tienne, soutint Alice. C'est la mienne qui a éclaté.

— Comment peux-tu savoir laquelle c'était?

— C'était la tienne, puisque c'est toi qui es blessé. Et puis je n'ai pas faim. Pas trop, en tout cas, reprit Alice.

— Tu as aussi faim que moi! protesta Almanzo, qui ne pouvait plus supporter de se montrer égoïste. Prends-en la moitié et moi, je mangerai l'autre.

La peau de la pomme de terre était noire et brûlée, mais la chair en était blanche et farineuse. Une odeur délicieuse s'en échappait en fumant. Ils la laissèrent un peu refroidir, puis ils grignotèrent l'intérieur et il leur parut que c'était la meilleure pomme de terre de leur vie. Ils se sentirent mieux et repartirent travailler.

Almanzo avait des cloques sur le visage et son œil, enflé, demeurait fermé. Mère y appliqua un cataplasme, à midi, puis un autre, le soir. Le lendemain, il ne souffrait déjà plus tant.

Le troisième jour, tout de suite après la tombée de la nuit, Alice et Almanzo rentrèrent à la ferme derrière l'ultime charge de pommes de terre.

Chaque minute qui passait voyait la température s'abaisser. Père pelleta les pommes de terre dans la cave à la lumière d'une lanterne, cependant que Royal et Almanzo s'occupaient des bêtes.

Ils étaient parvenus de justesse à sauver les pommes de terre. La nuit même, il gela.

— Manquer de près ou de loin, c'est toujours manquer, dit Mère.

Père, toutefois, hocha la tête.

— Il s'en est fallu de trop peu pour mon goût, avoua-t-il. Bientôt, la neige sera là. Il va

falloir nous dépêcher de mettre les haricots et le maïs à l'abri.

Il installa des ridelles sur le chariot, puis Royal et Almanzo allèrent l'aider à charger les haricots. Ils arrachaient les piquets et les déposaient, avec les haricots, dans le tombereau. Ils travaillaient pourtant avec soin, car les secousses pouvaient faire jaillir les haricots de leurs cosses sèches et il ne fallait pas en perdre.

Quand ils eurent empilé tous les haricots sur l'Aire de la Grange Sud, ils allèrent chercher les meules de maïs. La production avait été si abondante que les grands greniers à céréales de Père ne pouvaient tout abriter. Plusieurs chargements de meules de maïs furent déposés dans la cour carrée. Père les clôtura pour les mettre à l'abri du jeune bétail.

Toutes les récoltes étaient rentrées, à présent. La cave, le grenier, les bâtiments annexes étaient pleins à craquer. On y avait emmagasiné beaucoup de bonnes choses pour nourrir bêtes et gens durant tout l'hiver.

Chacun avait bien mérité de s'arrêter un peu et d'aller s'amuser à la foire du comté.

CHAPITRE 21

LA FOIRE DU COMTÉ

De grand matin, ils se mirent en route pour la foire, alors qu'il faisait encore glacial. Tous portaient leurs vêtements du dimanche, à l'exception de Mère, qui avait revêtu une tenue moins élégante et qui s'était munie d'un tablier, car elle allait aider à préparer le déjeuner, offert par la paroisse.

Sous le siège arrière du boghei, on avait glissé une caisse de gelées, de conserves et de condiments de toutes sortes qu'Eliza Jane et Alice avaient confectionnés pour les présenter à la foire. Alice emportait également sa tapisserie. Mais la citrouille d'Almanzo, forcée au lait, était déjà partie la veille.

Elle prenait trop de place pour pouvoir tenir dans le boghei. Almanzo l'avait fait briller avec soin et Père l'avait soulevée jusqu'au chariot. Après l'avoir roulée sur un lit de foin, ils l'avaient transportée jusqu'au champ de foire, où ils l'avaient remise à M. Paddock, chargé de réceptionner les produits agricoles.

Ce matin-là, les routes étaient pleines de voitures qui se rendaient à la foire. A Malone, la foule était encore plus dense qu'elle ne l'avait été pour la fête de l'Indépendance. Tout autour du champ de foire, chariots et cabriolets occupaient une surface considérable et les visiteurs s'y agglutinaient comme des mouches. Les drapeaux claquaient au vent et la fanfare jouait.

Mère, Royal et les sœurs descendirent du boghei au champ de foire, mais Almanzo poursuivit avec Père jusqu'aux remises de l'église pour l'aider à dételer. Les remises étaient tout encombrées et les trottoirs étaient envahis par des flots de passants, en habits de fête, qui se dirigeaient vers la foire. Les cabriolets montaient et redescendaient les rues à vive allure, en soulevant des nuages de poussière.

— Eh bien, fils, par quoi allons-nous commencer? demanda Père.

— Je voudrais voir les chevaux, lui dit Almanzo.

Père accepta de commencer par une visite aux chevaux.

Le soleil était haut, à présent, et le temps, clair et agréablement chaud. Les visiteurs qui se bousculaient sur le champ de foire faisaient grand bruit, parlaient haut et se déplaçaient sans cesse, tandis que la fanfare jouait des airs entraînants. Les cabriolets poursuivaient leurs allées et venues. Des hommes s'arrêtaient pour saluer Père. Il y avait des jeunes garçons partout. Frank passa tout près, en compagnie de garçons de la ville, puis Almanzo aperçut Miles Lewis et Aaron Webb, mais il préféra demeurer auprès de Père.

Ils longèrent lentement l'arrière de la tribune, puis le long bâtiment bas de la salle paroissiale, distinct de l'église, qui donnait sur le champ de foire et comprenait une cuisine et une salle à manger. Il était plein du tintamarre des plats, des casseroles que l'on remuait et du bavardage aigu des femmes. Mère et les sœurs se trouvaient là, quelque part.

Au-delà s'alignaient des baraques, des loges et des tentes, tout égayées de drapeaux ou de calicots en couleurs. Des hommes y criaient :

« Par ici, par ici, dix cents seulement, une *dime*, un dixième de dollar! » « Oranges,

oranges, oranges sucrées de Floride! » « Guérit tous les maux, ceux de l'homme et ceux de la bête! » « A tous les coups on gagne! A tous les coups on gagne! » « Pour la dernière fois, Messieurs, passons la monnaie! Reculons, ne bousculons pas! »

L'une de ces baraques abritait une forêt de cannes rayées noir et blanc. Si l'on parvenait à les coiffer d'un anneau, le forain vous en donnait une. Il y avait des piles d'oranges, des plateaux pleins de pain d'épice, des baquets de limonade rose. Un homme, en habit et haut-de-forme luisant, mettait un petit pois sous un coquillage et donnait de l'argent à quiconque pouvait lui dire sous lequel des trois coquillages il avait glissé le petit pois.

— Moi, je sais où il est, Père! s'écria Almanzo.

— En es-tu certain? demanda Père.

— Oui, affirma Almanzo, en en montrant un du doigt. Sous celui-ci.

— Eh bien, fils, nous allons voir, dit Père.

A cet instant, un homme fendit la foule et posa un billet de cinq dollars à côté des coquillages. Il pointa le doigt vers le coquillage qu'avait indiqué Almanzo.

L'homme au haut-de-forme souleva le coquillage. Il n'y avait pas de petit pois dessous. En un éclair, le billet de cinq dollars disparut dans une poche de son habit et il recommença à présenter le petit pois aux spectateurs, avant de le cacher sous un autre coquillage.

Almanzo n'arrivait pas à comprendre ce qui s'était passé. Il avait aperçu le petit pois sous le coquillage dont il avait parlé et le petit pois ne s'était plus trouvé dessous. Il demanda à Père comment l'homme s'y était pris.

— Je l'ignore, Almanzo, répondit Père, mais lui le sait. C'est son jeu. Ne parie jamais de l'argent sur le jeu d'un autre homme.

Ils se rendirent ensuite aux remises où l'on exposait le bétail. Le sol y avait tant été foulé par les hommes et les garçons qui s'y pressaient qu'on y progressait dans une épaisse couche de poussière. Ici, le silence régnait.

Almanzo et Père examinèrent longtemps les beaux chevaux de race Morgan : des bais, des bruns, des alezans, aux minces jambes à poil ras et aux petits pieds bien faits. Les Morgan encensaient. Ils avaient de doux yeux expressifs. Almanzo les passa en revue avec attention : aucun n'avait de meilleures qualités que les jeunes chevaux vendus par Père à l'automne précédent.

Père et lui s'en furent ensuite admirer les pur-sang. Leur corps était plus longiligne, leur encolure plus mince, leur arrière-train plus fin. Les pur-sang étaient nerveux ; leurs oreilles frémissaient et ils roulaient des yeux. Ils semblaient plus rapides, mais moins réguliers que les Morgan.

Plus loin encore, il y avait trois gros chevaux gris pommelé. Leurs croupes étaient rondes et fermes, leurs encolures épaisses, leurs membres lourds. De longs fanons touffus masquaient leurs gros boulets. Ils avaient des têtes massives, des yeux doux et gentils. Almanzo n'avait encore jamais vu de chevaux comme ceux-là.

Père lui apprit qu'ils appartenaient à la race belge. Des Français avaient transporté par bateau des chevaux de ce type jusqu'au Canada. A présent, ces chevaux entraient aux Etats-Unis, en provenance du Canada. Père les admirait beaucoup. Il s'exclamait :

— Regarde-moi ces muscles! Ils pourraient tirer une grange, si on les y attelait!

Almanzo rétorqua :

— A quoi ça nous servirait un cheval qui pourrait tirer une grange? Nous n'avons pas besoin de tirer des granges. Un Morgan a bien assez de muscles pour tirer un chariot et il est assez rapide pour qu'on puisse l'atteler aussi à un boghei.

— Tu as raison, fils! reconnut Père.

Il jeta un coup d'œil de regret aux gros chevaux, puis secoua la tête, avant de conclure :

— Ce serait du gaspillage que de nourrir tous

ces muscles, alors que ça ne nous servirait à rien. Tu as raison.

Almanzo se sentit important et adulte.

Après les chevaux belges, une telle foule d'hommes et de garçons s'était regroupée autour d'une stalle que Père lui-même ne pouvait apercevoir ce qu'elle renfermait. Almanzo se faufila et se coula entre les jambes pour atteindre les barreaux de la stalle.

Deux animaux noirs s'y trouvaient parqués. Almanzo n'en avait jamais vu de semblables. Ils ressemblaient à des chevaux et pourtant ce n'en étaient pas. Leurs queues n'étaient garnies que d'un bouquet de poils à la pointe. Leurs courtes crinières étaient hérissées. Leurs longues oreilles, qui rappelaient celles des lapins, se dressaient droit au-dessus de leurs têtes allongées, aux joues creuses. Alors qu'Almanzo les détaillait, l'une de ces bêtes braqua vers lui ses oreilles et tendit le cou.

Elle plissa le nez et retroussa les lèvres pour découvrir de longues dents jaunes près des yeux écarquillés d'Almanzo. Ce dernier ne pouvait reculer. Lentement, l'animal ouvrit une grande bouche et de sa gorge jaillit un braiment rauque, assourdissant :

« Hiiiiiii, an! Hiiiiiii, Han! »

Almanzo hurla, pivota, donna des coups de tête et s'ouvrit un passage à coups de griffes à travers la foule pour rejoindre Père. Quand il retrouva ses esprits, il était près de Père et tout le monde s'esclaffait. Seul, Père ne riait pas.

— Ce n'est qu'un demi-cheval, fils, expliqua Père. Le premier mulet que tu vois. Tu n'es pas le seul, d'ailleurs, à en avoir eu peur, acheva-t-il, en lançant un coup d'œil à la ronde.

Almanzo se remit en voyant les jeunes chevaux. Il y avait là des deux ans, des yearlings et même quelques tout petits poulains, auprès de leurs mères. Après les avoir bien étudiés, Almanzo prit la parole :

— Père, j'aimerais...

— Quoi donc, fils?

— Père, il n'y a pas un seul poulain, ici, qui arrive à la cheville de Starlight. Est-ce que tu ne pourrais pas amener Starlight à la foire, l'an prochain.

— Ma foi, nous verrons cela, l'an prochain.

Ils allèrent ensuite passer le bétail en revue. Des vaches guernesiaises et jersiaises, originaires des îles anglo-normandes. Des représentants de la race rousse de Devon et de la race grise de Durham, qui venaient d'Angleterre. Ils apprécièrent ensuite les bouvillons et les veaux de l'année; certains étaient mieux venus que Star ou que Bright. Ils admirèrent enfin les robustes et puissants bœufs d'attelage.

Pendant tout ce temps, Almanzo se disait que

si seulement Père acceptait de présenter Starlight à la foire, le poulain obtiendrait sûrement un prix.

Ils se rendirent alors au point où étaient présentés les énormes porcs de la race Chester White et les porcs noirs du Berkshire, qui étaient plus petits, mais dont la peau était plus satinée. Lucy, la truie d'Almanzo, était une Chester White. Mais ce dernier était bien résolu à posséder un jour un porc du Berkshire.

Ils parvinrent enfin au coin réservé aux moutons. Il y avait des Mérinos, semblables à ceux de Père, avec leur peau marquée de plis et leur courte laine fine, à côté de moutons de la race des Cotswold, dont la laine est plus longue, mais plus grossière. Père était content de ses Mérinos. Il préférait produire moins de laine, mais de meilleure qualité pour les tissages de Mère.

Il était alors midi et Almanzo n'avait pas encore vu sa citrouille. Mais comme il avait faim, ils s'en furent déjeuner. La salle à manger de la paroisse était déjà pleine de gens. Toutes les places étaient prises à la longue table. Comme les autres jeunes filles des environs, Eliza Jane et Alice se hâtaient d'apporter des assiettes pleines de la cuisine. Il en montait tant d'odeurs délicieuses qu'Almanzo sentit l'eau lui venir à la bouche.

Père pénétra dans la cuisine et Almanzo l'y

suivit. Elle abritait une foule de femmes qui se dépêchaient de découper des jambons bouillis, des rôtis de bœufs, des poulets rôtis ou de servir des portions de légumes. Mère ouvrit la porte du four de l'immense cuisinière et en sortit des dindes et des canards rôtis.

Trois tonneaux avaient été dressés contre le mur. De longs tuyaux de fer les reliaient à un chaudron d'eau bouillante, posé sur le coin de la cuisinière. On voyait sortir des bouffées de vapeur par toutes les fentes de ces tonneaux. Père souleva le couvercle de l'un d'eux et des nuages de vapeur s'en échappèrent. Almanzo y jeta un coup d'œil : le tonneau était plein de pommes de terre fumantes, bien brossées, en robe des champs. Ils virent la peau se fendiller et découvrir, en s'enroulant, la chair farineuse, quand l'air froid les atteignit.

Où qu'il portât les yeux, Almanzo apercevait des piles de gâteaux et de tourtes de toutes sortes. Il avait si faim qu'il aurait pu tout avaler, mais il n'osa même pas ramasser une miette.

Après une longue attente, Père et lui obtinrent des places à la longue table de la salle à manger. L'assistance était gaie, bavardait et riait. Almanzo, quant à lui, se concentra sur sa nourriture. Il mangea du jambon, du poulet, de la dinde, de la farce et de la gelée d'airelles; il absorba ensuite des pommes de terre et de la sauce, du *succotash* — un mélange de maïs et de haricots —, des haricots au four, des haricots et des oignons bouillis, du pain blanc, du pain de seigle et de maïs, des condiments sucrés, de la confiture et des fruits au sirop. Puis il poussa un long soupir avant d'attaquer les tourtes.

A peine les eût-il entamées qu'il souhaita n'avoir rien mangé d'autre. Il dégusta un morceau de tourte à la citrouille, avant d'attaquer un morceau de tourte à la crème caramel. Il réussit à avaler une partie d'un morceau de tourte au vinaigre et au beurre sucré. Il goûta un morceau de tourte aux raisins, aux pommes et aux épices, mais il ne parvint pas à le terminer. Il dut s'avouer vaincu. Il y avait encore des tourtes aux fruits, des tourtes à la crème, des tourtes au vinaigre et aux raisins, mais il était incapable d'en ingurgiter davantage.

Il fut tout heureux de pouvoir prendre place auprès de Père dans la tribune. Ils regardèrent les trotteurs filer comme l'éclair devant eux, tandis qu'ils s'échauffaient avant les courses. La poussière que faisaient lever les sulkies dansait et brillait dans le soleil. Royal était allé rejoindre les jeunes gens, en bas, au bord de la piste, près des parieurs.

Père dit à Almanzo qu'il n'y avait pas de mal à parier sur les chevaux, si on en avait envie.

— On en a pour son argent, remarqua-t-il.

Moi, pourtant, je préfère recevoir quelque chose de plus substantiel en échange du mien.

La tribune s'emplit au point qu'il y eut bientôt des spectateurs entassés sur tous les gradins. Les légers sulkies s'étaient alignés, les chevaux encensaient et piaffaient, impatients de prendre le départ. Almanzo était si excité qu'il avait peine à demeurer assis. Il choisit le cheval qu'il aurait aimé voir gagner : un mince et beau pur-sang alezan.

Un appel retentit. Aussitôt, les chevaux s'élancèrent et un cri monta de la foule. Puis,

tout aussi brutalement, la stupéfaction réduisit l'assemblée au silence.

Un Indien s'était élancé sur la piste derrière les sulkies. Il courait aussi vite que les chevaux.

Les spectateurs retrouvèrent leurs voix : « Il n'y arrivera pas ! » « Deux dollars qu'il se maintiendra ! » « Le bai ! Le bai ! Vas-y, vas-y ! » « Trois dollars sur l'Indien ! » « Surveillez l'alezan ! » « Regardez l'Indien ! »

Des nuages de poussière s'élevaient à présent de l'autre côté de la piste. Les chevaux volaient, ventre à terre. La foule, perchée sur les bancs, hurlait ses encouragements. Almanzo criait à tue-tête. Les chevaux abordaient à présent la dernière ligne droite et pilonnaient la piste. « Vas-y! Vas-y! Le bai! Le bai! »

Ils passèrent en trombe devant la tribune, à une allure trop vive pour qu'on pût les distinguer. Derrière eux, l'Indien approchait à grandes foulées aisées. Parvenu devant la tribune, il sauta en l'air, fit un saut périlleux, puis s'immobilisa pour saluer l'assistance de son bras droit levé.

La tribune vibrait sous l'effet des vivats et des trépignements. Père lui-même s'était mis à crier :

— Hourrah! Hourrah!

L'Indien avait couru le *mile* en deux minutes et quarante secondes, aussi vite que le cheval qui avait gagné. Il n'était même pas essoufflé. Il salua une dernière fois les gens qui l'acclamaient, puis il sortit de la piste.

Le cheval bai était vainqueur.

Il y eut d'autres courses, puis très vite, trois heures sonnèrent. Il était temps de rentrer. Le retour fut très amusant, ce jour-là, parce que tous avaient beaucoup de choses à raconter. Royal était parvenu à lancer un anneau autour d'une canne rayée noir et blanc et il l'avait gagnée. Alice avait dépensé un nickel pour acheter du sucre d'orge à la menthe. Elle cassa son bâton en deux pour en offrir la moitié à

Almanzo et chacun d'eux en suça lentement un morceau.

Il leur parut étrange de ne rester à la maison que le temps de soigner les bêtes et de dormir. De bonne heure, le lendemain matin, ils se remettaient en route. La foire allait encore durer deux jours.

Ce matin-là, Almanzo et Père passèrent rapidement devant les remises et se rendirent à l'exposition des légumes et des céréales. Almanzo aperçut aussitôt les citrouilles. Elles luisaient d'un éclat doré et faisaient paraître ternes les produits qui les entouraient. La citrouille d'Almanzo trônait au milieu du lot : c'était la plus grosse de toutes.

— Ne te réjouis pas trop vite à la pensée d'obtenir le prix, fils, le mit en garde Père. Ce n'est pas tant la taille que la qualité, qui compte.

Almanzo s'efforça de ne pas trop se soucier de recevoir ou non le prix. Il s'éloigna des citrouilles dans le sillage de Père, mais il ne pouvait s'empêcher de jeter de temps à autre un regard en arrière pour apercevoir la sienne. Il admira de jolies pommes de terre, des betteraves, des navets, des rutabagas et des oignons. Il fit couler entre ses doigts des grains de blé gonflés et dorés, de pâles grains d'avoine rainurés, des pois du Canada, des haricots blancs et des haricots marbrés. Il examina les épis de maïs blanc, de maïs jaune d'or et de maïs tricolore. Père lui fit remarquer combien les grains étaient serrés sur les meilleurs épis et comme ils couvraient l'épi jusqu'à sa pointe extrême.

Les spectateurs allaient et venaient devant les étalages. Il y en avait toujours quelques-uns qui s'arrêtaient devant les citrouilles. Almanzo aurait bien aimé qu'ils sachent que la plus grosse était la sienne.

Après le déjeuner, il se hâta de revenir à cet endroit pour assister aux délibérations du jury. L'assistance était plus nombreuse, à présent, et il lui fallait parfois abandonner Père pour se faufiler entre les gens, afin de voir ce que faisaient les membres du jury. Les trois juges portaient des insignes au revers de leurs vestes; l'air solennel, ils s'entretenaient à voix basse pour que nul ne pût surprendre leurs délibérations.

Ils soupesèrent les céréales, puis les regardèrent de près. Ils mâchèrent quelques grains de blé et d'avoine pour se rendre compte de leur goût. Ils ouvrirent les cosses des pois et des haricots, puis égrenèrent en partie chacun des épis de maïs présentés pour s'assurer de la longueur des grains. Ils sortirent leurs couteaux de poche, coupèrent les oignons et les pommes de terre en deux; ils découpèrent ensuite de très minces tranches de pommes de terre et les présentèrent à contre-jour. Dans la pomme de terre, la partie la plus riche en fécule se trouve située immédiatement sous la peau. Pour évaluer l'épaisseur de cette partie du tubercule, il suffit d'en élever une très mince tranche à la lumière et de l'examiner par transparence.

La foule la plus dense se pressait autour de la table où se tenaient les juges et les regardait opérer sans mot dire. C'est donc dans le plus grand silence qu'un grand juge maigre, arborant une barbiche, sortit un bout de ruban rouge et un bout de ruban bleu de sa poche. Le ruban rouge correspondait au second prix, le bleu revenait au premier prix. Le juge les posa sur les légumes auxquels ils étaient attribués et la foule poussa un profond soupir.

Brusquement, tout le monde se mit à parler. Almanzo s'aperçut que tous ceux qui n'avaient pas eu de prix complimentaient le vainqueur, de même que la personne qui avait reçu le second prix. Si sa citrouille n'était pas couronnée, il lui faudrait en faire autant. Il n'en avait pas envie, mais sans doute était-ce une coutume à laquelle il lui faudrait se plier.

C'est alors que les juges en arrivèrent aux citrouilles. Almanzo s'efforça de prendre l'air indifférent, mais il sentit une brusque chaleur lui monter à la tête.

Les juges durent attendre que M. Paddock

leur eût apporté un grand couteau bien aiguisé. Le plus gros des juges le prit et le plongea de toutes ses forces dans l'une des citrouilles. Il pesa sur le manche et en découpa une épaisse tranche. Il la souleva et les trois juges examinèrent l'épaisse chair jaune de la citrouille. Ils évaluèrent ensuite les proportions respectives de la peau dure et du cœur creux, où se trouvaient les graines. Enfin, ils en coupèrent de petites tranches et les goûtèrent.

Le gros juge ouvrit alors une seconde citrouille. Il avait commencé par la plus petite. La foule pressait Almanzo de toutes parts. Il fut contraint d'ouvrir la bouche pour respirer.

Le juge s'approcha enfin de la grosse citrouille d'Almanzo. Ce dernier sentit la tête lui tourner. A l'intérieur, sa citrouille révélait un grand creux, où s'abritaient les graines. Comme elle était grosse, elle avait énormément de graines. La chair était un peu plus pâle que celle des autres citrouilles. Almanzo ignorait si cela importait ou non. Les juges la goûtèrent, mais il ne put lire sur leurs visages comment ils l'appréciaient.

Ils tinrent alors ensemble un long conciliabule. Almanzo n'entendait pas ce qu'ils se disaient. Le grand juge mince secoua la tête et tira sur sa barbiche. Il coupa une mince tranche de la citrouille la plus jaune, puis une mince

264

tranche de la citrouille d'Almanzo et les goûta. Il les tendit au gros juge, qui les goûta à son tour. Le gros juge dit quelque chose qui les fit tous sourire.

M. Paddock se pencha par-dessus la table et dit :

— Comment allez-vous, cet après-midi, Wilder? Vous et votre garçon profitez du spectacle, je vois. Tu t'amuses bien, Almanzo?

Almanzo pouvait à peine parler. Il s'arracha simplement un :

— Oui, Monsieur.

Le grand juge avait sorti le ruban rouge et le ruban bleu de sa poche. Le gros juge le prit par la manche et tous trois réunirent à nouveau leurs têtes.

Le grand juge se retourna lentement. Lentement, il sortit une épingle de son revers et la piqua dans le ruban bleu. Il n'était pas tout près de la grosse citrouille d'Almanzo. Il en était même trop loin pour pouvoir la toucher. Il éleva le ruban bleu, le tint au-dessus d'une autre citrouille, se pencha, étendit avec lenteur son bras aussi loin qu'il le put, puis il planta l'épingle dans la citrouille d'Almanzo.

La main de Père s'abattit sur l'épaule d'Almanzo et la serra. Almanzo, aussitôt, put respirer librement : il se sentait vibrer des pieds à la tête. M. Paddock lui serrait la main. Tous les juges lui souriaient. Il entendait une foule de gens s'extasier :

— Voyez-vous ça, M. Wilder! Ainsi, c'est votre fils qui a eu le premier prix!

M. Webb lui confia :

— C'est une belle citrouille que tu as là, Almanzo. Je ne crois pas en avoir jamais vu de plus belle.

M. Paddock renchérit :

— Pour ma part, je n'ai jamais vu de

citrouille qui la surpasse pour la taille. Comment as-tu fait pousser une si grosse citrouille, Almanzo?

Brusquement, tout parut s'amplifier autour d'Almanzo : le silence régnait à nouveau, il avait froid, il se sentait très petit et très effrayé. L'idée ne lui était pas venue, jusqu'alors, qu'il ne serait peut-être pas loyal d'obtenir un prix pour une citrouille qu'on aurait forcée avec du lait. Peut-être ce prix n'était-il attribué qu'à ceux qui faisaient pousser des citrouilles de manière classique. Peut-être, songeait-il, allait-on même lui reprendre son prix. Peut-être estimerait-on qu'il avait triché.

Il tourna la tête vers Père, mais le visage de Père était fermé et ne lui indiquait pas ce qu'il devait faire.

— J'ai... j'ai juste... je l'ai binée souvent, et... commença-t-il.

Il se rendit compte qu'il était en train de dire un mensonge. Père l'écoutait raconter un mensonge. Il leva les yeux vers M. Paddock et reprit :

— Je l'ai forcée avec du lait. C'est une citrouille forcée avec du lait. Est-ce que... est-ce que ça va?

— Mais oui, bien sûr que ça va, lui répondit M. Paddock.

Père se mit à rire.

— Tous les métiers, excepté les nôtres, ont leurs ficelles, n'est-ce pas, Paddock. Mais peut-être, après tout, qu'on en utilise aussi quelques-unes, tant dans la culture que dans la carrosserie, pas?

Almanzo comprit alors à quel point il s'était montré sot. Père savait tout ce qui concernait les citrouilles et Père n'aurait jamais triché.

Il s'en fut, après cela, se promener avec Père. Ils suivirent la foule et virent à nouveau les chevaux. Le poulain qui avait gagné le prix n'était pas aussi beau que Starlight. Almanzo espérait vivement que Père présenterait Starlight à la foire de l'année suivante. Ils allèrent ensuite assister aux courses à pied, aux concours de saut et de lancer. Les garçons de Malone y partici-paient, mais les garçons de la campagne rempor-tèrent presque toutes les épreuves. Almanzo se souvenait souvent du prix que lui avait valu sa citrouille et il en était content.

Lorsqu'ils regagnèrent la ferme, ce soir-là, ils étaient tous heureux. La tapisserie d'Alice avait eu un premier prix. Eliza Jane avait eu un ruban rouge pour ses gelées et Alice, un ruban bleu pour les siennes. Père déclara que la famille Wilder pouvait être fière d'elle, ce jour-là.

La foire durait encore une journée, mais ce n'était plus aussi intéressant. Almanzo était fatigué de s'amuser. Trois jours de fête à la file lui paraissaient trop. Il ne lui semblait pas bien de devoir à nouveau s'habiller et de quitter la ferme. Il était aussi mal à l'aise qu'à l'époque des grands nettoyages, quand la maison était bouleversée. Il fut soulagé quand la foire fut finie et que la vie put reprendre son cours.

CHAPITRE 22

L'AUTOMNE

— Le vent est au nord, annonça Père, un matin, au petit déjeuner. Et les nuages montent. Nous ferions bien d'aller ramasser les faines avant la neige.

Les hêtres poussaient dans la futaie, à trois kilomètres de la ferme par la route, mais à huit cents mètres seulement, à travers champs. M. Webb, qui était un bon voisin, permettait à Père de rouler sur ses terres.

Almanzo et Royal prirent leurs casquettes et leurs manteaux chauds, Alice revêtit son manteau et son capuchon, puis ils rejoignirent Père dans le chariot pour aller ramasser les faines.

Chaque fois qu'ils rencontraient un muret de pierres sèches, Almanzo aidait les autres à le défaire pour laisser passer le chariot. Les pâturages étaient vides, à présent. Comme le bétail était bien au chaud dans les étables, ils pouvaient laisser les murets ouverts jusqu'à leur dernier voyage.

Dans la hêtraie, toutes les feuilles jaunies étaient tombées. Elles formaient un épais matelas sur le sol au pied des troncs minces et des fines ramures dépouillées. Les faines, tombées après les feuilles, reposaient sur ce matelas. Père et Royal soulevaient avec précaution les feuilles enchevêtrées à la fourche, puis ils les déposaient, avec les faines, dans le tombereau. Là, Alice et Almanzo couraient de long en large et piétinaient les feuilles bruissantes pour faire de la place à leurs sœurs.

Quand le chariot fut plein, Royal s'en retourna aux granges avec Père, mais Almanzo et Alice restèrent dans les bois pour jouer jusqu'au retour du tombereau.

Il soufflait un vent froid et une légère brume estompait le soleil. Des écureuils gambadaient de ça, de là, pour faire des provisions de faines. Très haut, dans le ciel, des canards sauvages s'appelaient et se hâtaient vers le sud. C'était une journée merveilleuse pour jouer aux Indiens, parmi les arbres.

Quand Almanzo fut fatigué de jouer aux Indiens, Alice et lui prirent place sur un arbre coupé et cassèrent des faines. Les faines sont triangulaires, d'un brun luisant et de petite taille, mais chaque cupule est remplie d'amande à craquer. Celles-ci étaient si bonnes que nul ne pouvait s'en lasser. Almanzo s'en régala jusqu'au moment où ils virent le chariot réapparaître.

Alice et lui se remirent alors à fouler les feuilles, cependant que les fourches se hâtaient de dénuder le sol selon une allée qui ne cessait de s'élargir.

Il fallut presque toute la journée pour ramasser les faines. Dans le froid crépuscule, Almanzo aida les autres à remonter les murets de pierre derrière le dernier chargement. Les faines et les feuilles formaient un gros tas sur l'Aire de la Grange Sud, auprès du van mécanique.

Ce soir-là, Père fit remarquer qu'ils venaient de vivre la fin de l'été indien.

— Il va neiger cette nuit, affirma-t-il.

En effet, quand Almanzo s'éveilla, le lendemain matin, la lumière avait cet aspect glauque qu'elle prend les jours de neige et par la fenêtre, il découvrit que le sol et le toit des granges étaient blancs.

Père était content. La neige douce avait quinze centimètres d'épaisseur, mais le sol n'était pas encore gelé.

Père qualifia cette neige « d'engrais du pauvre » et il envoya Royal la labourer dans tous les champs. Elle apportait quelque chose qui s'était formé dans l'air et qui aiderait les récoltes à pousser, si on la faisait pénétrer dans le sol.

Pendant ce temps, Almanzo aidait Père. Ils ajustèrent les volets de bois des dépendances et reclouèrent toutes les planches qui avaient joué sous l'effet du soleil ou des pluies d'été. Ils amoncelèrent de la paille prise dans les stalles contre les murs de la grange, avant d'entasser de la belle paille bien propre autour des murs de la maison. Ils posèrent ensuite des pierres sur cette paille pour bien la tasser, afin que les vents ne l'emportent pas. Ils posèrent les contre-portes et les contre-fenêtres à la maison. Il était grand temps. La semaine n'était pas achevée qu'il avait gelé à pierre fendre pour la première fois.

Il faisait, pour de bon, un froid de loup, maintenant, et le temps d'abattre les bêtes était venu.

Dans l'aube glaciale, avant le petit déjeuner, Almanzo s'en fut aider Royal à installer le grand chaudron de fonte près de la grange. Ils le posèrent sur des pierres, l'emplirent d'eau et allumèrent un feu par-dessous. Il contenait plus de trois cent cinquante litres d'eau.

Ils n'avaient pas terminé quand ils virent arriver Lazy John et Franch Joe. Tous eurent à peine le temps d'avaler un semblant de petit déjeuner. On allait tuer cinq cochons et un veau, ce jour-là.

Dès qu'un cochon était tué, Père, Joe et John en plongeaient la carcasse dans le chaudron d'eau bouillante, puis ils l'en retiraient et la déposaient sur des planches. Armés de couteaux de boucher, ils en râclaient toutes les soies. Ils suspendaient alors le cochon par les pattes de derrière à un arbre, lui ouvraient le ventre et recueillaient tous les abats dans un baquet.

Almanzo et Royal portaient le baquet à la cuisine. Mère et les sœurs y lavaient le cœur et le foie, avant de recueillir les plus petits morceaux de graisse et les faire fondre pour obtenir du saindoux.

Père et Joe dépouillèrent avec soin le veau de sa peau pour conserver celle-ci d'une seule pièce. Chaque année, quand Père tuait ainsi un veau, il en mettait ainsi la peau de côté pour faire les chaussures.

Durant tout l'après-midi, les hommes débitèrent la viande. Almanzo et Royal étaient chargés de la ranger. Ils salèrent tous les morceaux de graisse de porc en les plaçant dans

274

des tonneaux, à la cave. Ils plongèrent avec précaution les jambons et les épaules dans d'autres tonneaux emplis d'une saumure brune que Mère préparait en faisant bouillir du sel, du sucre d'érable, du salpêtre et de l'eau. La saumure employée pour conserver la viande de porc avait une odeur piquante qui donnait envie d'éternuer.

Les côtes découvertes, l'échine, le cœur, le foie, la langue et toute la chair à saucisse devaient être rangés dans le grenier du bûcher. Père et Joe y pendirent également les quartiers arrière du veau. La viande allait congeler dans ce grenier et demeurerait dans cet état tant que l'hiver durerait.

Le dépeçage s'acheva ce soir-là. French Joe et Lazy John retournèrent chez eux en sifflant. Pour prix de leur travail, ils emportaient de la viande fraîche. Mère, quant à elle, fit rôtir des côtelettes de porc pour le dîner. Almanzo aimait beaucoup ronger la viande sur les longs os plats incurvés. Il trouvait aussi très savoureux le jus de porc brun dont il arrosait sa purée crémeuse.

Tout au long de la semaine suivante, Mère et les filles travaillèrent beaucoup. Mère demanda à Almanzo de demeurer à la cuisine pour les aider. Ensemble, ils découpèrent la graisse de porc et la firent fondre dans de grandes marmites posées sur le fourneau. Quand ce fut terminé, Mère filtra le clair saindoux bouillant à travers des linges blancs posés au-dessus de grands pots de grès.

Des « fritons » bruns et croquants demeuraient à l'intérieur du tissu, une fois que Mère l'avait pressé. Almanzo s'emparait de quelques-uns de ces morceaux de couenne au passage, chaque fois qu'il le pouvait. Mère assurait qu'ils étaient beaucoup trop gras pour son bien. Elle les mettait de côté et les utiliserait plus tard pour relever son pain de maïs.

Quand le saindoux fut prêt, Mère prépara le fromage de tête. Elle fit bouillir les six têtes jusqu'à ce que la viande se détachât des os; elle la hacha, l'assaisonna, y ajouta du bouillon et la versa dans des poêlons d'une capacité de six litres. Une fois le contenu refroidi, il se trouvait pris en gelée, grâce à la gélatine produite par les os.

Mère fit ensuite du *mincemeat*. Elle mit à bouillir les meilleurs petits morceaux de veau et de porc avant de les hacher menu. Elle les mélangea à une compote de raisins secs, d'épices, de sucre, de vinaigre, de pommes émincées et de cognac. Elle emplit deux grands pots de mincemeat, dont l'odeur était délicieuse, puis elle permit à Almanzo de manger les restes du bol.

Pendant tout ce temps, Almanzo passait de la

chair à saucisse. Il glissait des milliers de morceaux de viande dans le hachoir et tournait la manivelle des heures durant. Il fut tout heureux quand ce fut terminé. Mère assaisonna la viande et la façonna en grosses boules. Almanzo dut transporter toutes ces boules dans le grenier du bûcher, où il les entassa sur des linges propres. Elles demeureraient là, congelées, tout l'hiver. Chaque matin, Mère pétrirait une de ces boules en croquettes qu'elle ferait frire pour le petit déjeuner.

Le temps de l'abattage s'achevait par la fabrication des chandelles.

Mère récurait les grands chaudrons à saindoux et les emplissait de morceaux de graisse de bœuf. Celle-ci, en fondant, ne se transforme pas en saindoux, mais en suif. Pendant que la graisse fondait, Almanzo aidait à fixer les mèches sur les moules à chandelles.

Chaque moule était composé de deux rangées de tubes d'étain, reliés les uns aux autres. Il reposait sur six pieds pour bien maintenir les tubes en position verticale. Tous les moules comportaient douze tubes, ouverts vers le haut, mais terminés en pointe; cette pointe était percée d'un très petit trou.

Mère coupa une longueur de mèche par tube. Elle plia cette mèche en deux et fit un nœud coulant autour d'une baguette, puis elle tordit

les deux brins pour faire un cordon. Elle s'humecta le pouce et l'index, afin de rouler l'extrémité de la corde en une fine pointe. Quand elle eut façonné six cordons, répartis à intervalles réguliers sur la baguette, elle les laissa glisser dans les six tubes. La baguette reposait sur le haut des tubes et l'extrémité des cordons sortait par les petits trous pratiqués dans les pointes des tubes. Almanzo les tendit à tour de rôle, puis, pour les maintenir en place, il piqua une pomme de terre crue à la fine pointe de chacun des tubes.

Quand toutes les mèches furent bien tendues et bien droites, Mère emplit avec précaution les tubes de suif chaud. Almanzo sortit alors le moule dehors pour le mettre à refroidir.

Une fois le suif durci, il rentra le moule. Il arracha les pommes de terre. Mère trempa vivement tout le moule dans de l'eau bouillante et souleva les baguettes. Six chandelles apparurent, pendues à leur baguette.

Almanzo les sépara alors de la baguette. Il coupa les extrémités de la mèche au ras des bases et ne laissa à la pointe qu'une longueur suffisante pour qu'on pût l'allumer. Enfin, il empila les chandelles lisses et droites en piles d'un blanc cireux.

Durant toute une journée, Almanzo aida Mère à faire des chandelles. Quand le soir tomba, ils en avaient assez fabriqué pour éclairer la maison jusqu'à ce que revînt l'époque de l'abattage, l'année suivante.

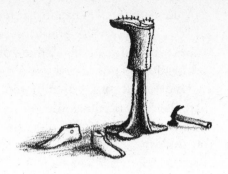

CHAPITRE 23

LE CORDONNIER

Mère était inquiète et exprimait tout haut son indignation : le cordonnier n'était toujours pas venu. Les mocassins d'Almanzo étaient complètement éculés. Quant à Royal, qui avait changé de pointure dans l'année, il ne tenait plus dans ses bottes; il les avait fendues tout autour pour pouvoir les enfiler. Tous deux souffraient du froid, mais nul n'y pouvait rien.

Royal, Eliza et Alice allaient devoir entrer au pensionnat sans leurs chaussures neuves, puisque le cordonnier n'était toujours pas arrivé.

280

Les ciseaux de Mère taillèrent à petits coups secs la pièce de laine grise qu'elle avait tissée. Elle coupa, ajusta, faufila et cousu un élégant costume neuf pour Royal, plus une capote assortie. Elle lui fit également une casquette, dont les oreillettes se boutonnaient, comme les casquettes achetées dans le commerce.

Pour Eliza Jane, elle fit une nouvelle robe de couleur bordeaux et pour Alice, une robe bleu indigo. Les deux sœurs étaient occupées à découdre leurs vieilles robes et leurs vieilles capelines, à les nettoyer et à les remonter à l'envers pour leur donner l'aspect du neuf.

Le soir, les aiguilles à tricoter de Mère lançaient des éclairs et cliquetaient. Elle leur faisait à tous de nouveaux bas. Elle tricotait si vite que les aiguilles chauffaient, à force de se croiser. Mais aucun d'eux n'aurait de nouvelles chaussures, si le cordonnier n'arrivait pas à temps.

Le cordonnier ne vint pas. Les jupes des filles cachaient leurs vieux souliers, mais Royal dut se rendre à l'Académie dans son beau costume, avec, aux pieds, les bottes de l'année précédente, dont l'empeigne fendue révélait ses chaussettes blanches. Nul n'y pouvait rien.

Vint le matin de la rentrée. Père et Almanzo s'en furent s'occuper des bêtes. Des bougies brûlaient derrière toutes les fenêtres de la maison et Almanzo regrettait l'absence de Royal dans la grange.

Royal et les sœurs se présentèrent en grande tenue à la table du petit déjeuner. Aucun des membres de la famille ne mangea beaucoup. Père alla atteler, tandis qu'Almanzo descendait les sacs de voyage en tapisserie. Il aurait bien voulu qu'Alice restât.

Les grelots du traîneau tintèrent devant la porte. Mère riait et s'essuyait les yeux au coin de son tablier. Ils sortirent tous pour rejoindre Père et le traîneau. Les chevaux piaffaient et faisaient tinter les grelots en secouant la tête. Alice enveloppa sa jupe bouffante de la couverture, puis Père fit partir les chevaux. Le traîneau glissa devant la maison et tourna pour s'engager sur la route. Alice se retourna, montrant son visage voilé de noir, puis elle lança :

— Au revoir ! Au revoir !

Cette journée-là parut déplaisante à Almanzo. Tout lui paraissait trop grand, trop calme, trop vide. Il se sentit bien seul quand il se retrouva pour déjeuner en face de Père et de Mère. Il fallut commencer plus tôt à soigner les bêtes, parce que Royal était parti. Almanzo trouva insupportable de ne pas apercevoir Alice, quand il regagna la maison. Eliza Jane elle-même lui manquait.

Une fois couché, il demeura éveillé et s'interrogea sur ce que ses frères et sœurs pouvaient bien faire, à huit longs kilomètres de là.

Le lendemain matin, ils virent arriver le cordonnier. Mère sortit sur le pas de la porte et l'apostropha :

— Eh bien, on peut dire que vous n'êtes pas pressé d'arriver, vous! Trois semaines de retard et mes enfants pratiquement réduits à aller nu-pieds.

Le cordonnier, pourtant, était si gentil, qu'elle ne demeura pas longtemps fâchée contre lui. Il n'était pas responsable. On l'avait retenu trois semaines, ailleurs, afin de faire des chaussures pour un mariage.

Ce cordonnier était un gros homme jovial. Quand il riait, ses joues et son ventre en étaient tout secoués. Il installa son banc dans la salle à manger, près de la fenêtre, puis il ouvrit sa boîte à outils. Déjà, il faisait rire Mère avec ses plaisanteries. Père sortit les peaux tannées de l'année précédente. Le cordonnier et lui passèrent la matinée à les examiner.

Le déjeuner fut gai. Le cordonnier leur fit part des dernières nouvelles, loua la cuisine de Mère et raconta des histoires si drôles que Père en rit aux éclats et Mère s'en essuya les yeux. Puis le cordonnier demanda à Père par quoi il fallait commencer.

Père lui répondit :

— Je crois qu'il vaut mieux commencer par faire des bottes à Almanzo.

Almanzo n'en croyait pas ses oreilles : il y avait si longtemps qu'il désirait posséder des bottes! Il s'était résigné à la pensée qu'il lui faudrait porter des mocassins jusqu'à l'âge où ses pieds ne grandiraient plus si vite.

— Tu gâtes trop cet enfant, James, protesta Mère.

Mais Père affirma :

— Il est assez grand, maintenant, pour porter des bottes.

Almanzo brûlait de voir le cordonnier commencer.

En premier lieu, le cordonnier s'en fut examiner tout le bois du bûcher. Il cherchait un morceau d'érable parfaitement sec, dont la texture serait fine et la veinure, bien droite. Quand il l'eut trouvé, il sortit une petite scie et découpa deux planchettes. L'une avait exactement 25 millimètres d'épaisseur. L'autre en avait tout juste la moitié. Il les mesura et les équarrit.

Il emporta les planchettes à son banc, s'y assit et ouvrit sa caisse à outils. Elle était divisée en petits compartiments dans lesquels tout son matériel était soigneusement réparti.

Le cordonnier posa la plus épaisse des planchettes d'érable devant lui, sur le banc. Il prit un long couteau pointu et stria finement toute la surface de la planchette. Il tourna alors cette dernière dans l'autre sens et recommença à la couvrir de petits sillons parallèles, créant ainsi de minuscules arêtes saillantes.

Il fit alors peser la lame d'un mince couteau droit dans le creux qui séparait deux stries et asséna des petits coups de marteau sur le manche. Une mince bande de bois se détacha : elle était entaillée à intervalles réguliers tout au long d'un de ses côtés. Le cordonnier déplaça le couteau, puis donna des coups de marteau jusqu'à ce qu'il eût découpé tout le bois en bande. Prenant ensuite une bande par l'une de ses extrémités, il engagea le couteau dans les entailles et frappa. Chaque fois qu'il donnait un coup sec, une cheville se détachait. Toutes ces chevilles carrées mesuraient 3 millimètres d'épaisseur sur 25 millimètres de long et s'achevaient en pointe.

Il prépara d'autres chevilles avec la seconde plaquette d'érable : celles-là n'avaient que douze millimètres et demi de long.

Le cordonnier était prêt, à présent, à prendre les mesures d'Almanzo.

Almanzo enleva ses mocassins et ses chaussettes. Il fit porter le poids de ses pieds, l'un après l'autre, sur des morceaux de papier, tandis que le cordonnier en traçait les contours avec un gros crayon. Le cordonnier prit alors les mensurations de chaque pied en tous sens et nota ces chiffres sur le patron.

Comme il n'avait plus besoin d'Almanzo, ce dernier s'en fut aider Père à décortiquer le maïs. Il disposait, pour ce faire, d'un petit éplucheur en bois tout à fait semblable au grand éplucheur dont s'équipait Père. Il en bouclait la lanière autour de sa moufle droite, afin que la cheville de bois qui l'aidait à éplucher vînt se placer, telle un second pouce, entre son propre pouce et ses doigts.

Père et lui prirent place sur les tabourets dont ils se servaient pour traire, dans la cour froide qui avoisinait la grange, près des meulettes de maïs. Ils séparèrent les épis de leurs tiges. Ils attrapèrent les grandes spathes sèches entre le pouce et l'éplucheur, puis ils débarrassèrent les épis de ces grandes enveloppes feuillues, qui les entouraient. Ils jetèrent alors les épis dénudés dans de grandes panières.

Les tiges et les longues feuilles sèches bruissantes s'accumulaient en tas au fur et à mesure. On les donnerait au jeune bétail.

Quand ils eurent décortiqué tout le maïs qui se trouvait à leur portée, ils avancèrent leurs tabourets et s'ouvrirent lentement un passage au cœur des meulettes aigrettées. Les enveloppes et les tiges continuaient à s'entasser derrière eux. Père allait vider les panières pleines dans les coffres et les coffres s'emplissaient peu à peu.

Dans la cour carrée, le froid n'était pas trop vif. Les hauts bâtiments des dépendances arrêtaient la bise. La neige, poudreuse, tombait toute seule des tiges de maïs. Almanzo avait mal aux pieds, mais il songeait à ses bottes neuves. Il attendait avec impatience l'heure du dîner pour voir à quel point le cordonnier aurait progressé.

Ce jour-là, le cordonnier avait paré deux formes de bois aux mesures précises des pieds d'Almanzo. Elles reposaient, à l'envers, sur un haut pied qui faisait partie de son banc. Par la suite, il les détacherait en deux parties.

Le lendemain matin, le cordonnier tailla des semelles dans la partie épaisse du milieu d'une peau et des semelles premières dans le cuir mince des bords. Il découpa les empeignes et les tiges dans le cuir le plus souple. C'est alors qu'il entreprit d'empoisser son fil.

De la main droite, il tira une longueur de fil de lin sur le tampon de poix noire de cordonnier qu'il tenait dans sa main gauche, puis il enroula le fil sous sa main droite, en travaillant sur l'avant de son tablier de cuir. Il le tira et l'enroula une seconde fois. La poix grinçait et les bras du cordonnier faisaient des moulinets de l'extérieur vers l'intérieur, de l'extérieur vers l'intérieur, jusqu'au moment où le fil fut noir et luisant, raidi par la poix.

Il posa ensuite une rude soie de porc contre chaque extrémité du fil. Il les enduisit de poix, les roula entre ses doigts et recommença l'opération jusqu'à ce que les soies fussent bien empoissées au fil.

Il était enfin prêt à coudre. Il rassembla les pièces qui allaient constituer le dessus de l'une des bottes et les pinça dans un étau. Les bords, tournés vers le haut, se trouvaient ainsi complètements soudés l'un contre l'autre, sans le moindre pli. Armé de son alène, le cordonnier perça un trou à travers les épaisseurs. Il fit passer les deux soies de porc dans le trou, en présentant chacune de part et d'autre, puis il tira le fil avec vigueur. Il perça ensuite un second trou, y fit passer les deux soies en sens inverse et tira à nouveau, jusqu'au moment où le fil empoissé eût disparu dans le cuir : il venait de faire le tout premier point.

— Voilà ce que j'appelle une couture! fit-il remarquer à Almanzo. Tu n'auras pas les pieds mouillés dans mes bottes, même si tu patauges dans l'eau. Je n'ai encore jamais fait une couture par laquelle l'eau pouvait s'infiltrer.

Point après point, il cousit toutes les tiges. Quand celles-ci furent prêtes, il mit les semelles à tremper toute une nuit dans de l'eau.

Le lendemain matin, il installa l'une des formes à l'envers sur son pied de cordonnier, afin de poser la première de cuir. Il fit glisser la tige d'une des bottes de manière à pouvoir en rabattre les bords sur la semelle première. Il recouvrit enfin le tout de la semelle épaisse. La botte avait maintenant son aspect définitif, la tête en bas, sur la forme.

Le cordonnier perça ensuite des trous avec son alène tout autour du bord de la semelle. Dans chacun de ces trous, il fit pénétrer l'une des petites chevilles d'érable. Il prépara un talon de cuir épais qu'il joignit au reste avec les longues chevilles. La botte était pratiquement terminée.

Les semelles mouillées furent mises à sécher toute la nuit. Au matin, le cordonnier retira les formes. A l'aide d'une râpe, il usa le haut des chevilles qui dépassait encore à l'intérieur.

Almanzo essaya ses bottes. Elles lui allaient à merveille et les talons faisaient sonner le plancher de la cuisine de façon magnifique.

Le samedi matin, Père se rendit à Malone avec le boghei. Il allait ramener Alice, Royal et Eliza Jane, dont on prendrait les mesures pour leur faire de nouvelles chaussures. Mère leur préparait un grand déjeuner. Almanzo, cependant, rôdait près du portail, tant il était impatient de revoir Alice.

Cette dernière n'avait pas changé du tout ! Avant même d'avoir pu sauter au bas de la voiture, elle s'écriait :

— Oh, Almanzo ! Tu portes des bottes neuves !

Elle étudiait dans l'intention de devenir une jeune fille accomplie. Elle raconta à Almanzo qu'elle prenait des leçons de musique et de maintien. Elle lui confia aussi qu'elle était bien contente d'être rentrée à la maison.

Eliza Jane se montrait plus autoritaire que jamais. Elle prétendit que les bottes d'Almanzo faisaient trop de bruit. Elle déclara ensuite à Mère qu'elle se sentait mortifiée quand elle voyait Père verser son thé dans une soucoupe, avant de le boire.

— Miséricorde! Mais comment voudrais-tu qu'il le fasse refroidir, autrement? lui demanda Mère.

— Boire dans les soucoupes, ça ne se fait plus du tout, insista Eliza Jane. Les gens bien élevés boivent le thé dans la tasse.

— Eliza Jane! s'indigna Alice. Tu n'as pas honte! Pour moi, Père est aussi bien élevé que n'importe qui!

Mère s'arrêta alors complètement de travailler. Elle sortit les mains de la bassine à vaisselle où elle les avait plongées, puis elle se retourna pour faire face à Eliza Jane.

— Mademoiselle, lui dit-elle, puisque tu aimes faire étalage de ta bonne éducation, dis-moi donc un peu d'où viennent les soucoupes.

Eliza Jane ouvrit la bouche, puis la referma, l'air penaud.

— Eh bien, elles sont originaires de Chine, expliqua Mère. Ce sont les marins hollandais qui les ont rapportées de Chine, il y a deux cents ans, lorsqu'ils ont doublé le cap de Bonne-Espérance et gagné la Chine pour la première fois. Jusqu'à cette époque, les gens buvaient dans des tasses; ils n'avaient pas de petites assiettes. Mais depuis qu'ils connaissent les soucoupes, ils s'en servent pour boire. J'estime que nous pouvons bien maintenir une tradition que les gens ont établie il y a deux cents ans de ça. Nous n'allons tout de même pas l'abandonner sous prétexte qu'on t'aura donné qui sait quelles idées ultramodernes à l'académie de Malone.

Eliza Jane en eut tout à fait le bec cloué.

Royal ne parla pas beaucoup. Il enfila ses vieux vêtements et fit sa part de corvées, mais il ne parut pas s'intéresser à ce qu'il faisait. Ce soir-là, une fois couché, il annonça à Almanzo qu'il avait décidé de devenir commerçant.

— Si tu ne te montres pas aussi malin que moi, tu passeras toute ta vie à trimer dans une ferme, lui dit-il.

— Moi, j'aime les chevaux, répondit Almanzo.

— Ah oui! Mais les commerçants en ont, eux aussi, des chevaux, rétorqua Royal. Ils mettent de beaux habits tous les jours, ils ne se salissent pas, puis ils se déplacent dans une voiture tirée par deux chevaux. Il y a même des gens, dans les villes, qui ont des cochers.

Almanzo ne poursuivit pas, mais il savait qu'il ne voulait pas avoir de cocher. Il voulait dresser des poulains et conduire ses propres chevaux.

Le lendemain matin, ils se rendirent ensemble à l'église. Ils laissèrent ensuite Royal, Eliza Jane et Alice à l'Académie. Seul, le cordonnier rentra avec eux à la ferme. Jour après jour, il continua à siffler en travaillant à son banc, dans la salle à manger, jusqu'au moment où toutes les bottes et toutes les chaussures eurent été achevées. Il demeura chez eux deux semaines. Quand il eut chargé son banc et ses outils dans son cabriolet et qu'il fut parti voir son prochain client, la maison parut à nouveau vide et silencieuse.

Ce soir-là, Père s'adressa à Almanzo :

— Eh bien, fils, voilà l'épluchage du maïs terminé. Si nous faisions un traîneau pour Star et Bright, demain, qu'en dirais-tu ?

— Oh, Père ! s'écria Almanzo. Est-ce que je pourrais... Est-ce que tu me laisseras faire le transport du bois depuis la fûtaie, cet hiver ?

Les yeux de Père pétillèrent.

— Pour quelle autre raison aurais-tu besoin d'un traîneau ? demanda-t-il.

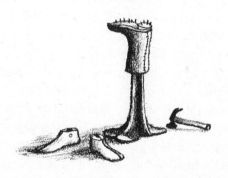

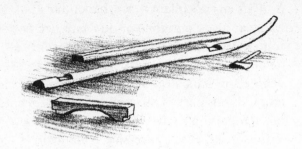

CHAPITRE 24

LE PETIT TRAÎNEAU

La neige tombait, le lendemain matin, quand Almanzo se rendit avec Père dans le grand traîneau jusqu'à la partie de la forêt qui était mise en coupe. De gros flocons de neige flottaient dans l'air comme un duvet et voilaient toutes choses. Lorsqu'on était seul, que l'on retenait son souffle et que l'on tendait l'oreille, on distinguait bien le petit bruit léger dont s'accompagnait leur chute.

Père et Almanzo avançaient avec peine à travers bois, sous cette neige. Ils étaient à la recherche de petits chênes bien droits. Quand ils en trouvaient un, Père l'abattait, l'ébranchait complètement, puis Almanzo l'empilait sur les autres. Enfin, ils chargeaient ces petits rondins sur le traîneau.

Ils cherchèrent ensuite des petits arbres courbés pour faire des patins incurvés. Ceux-là devaient avoir au moins douze centimètres de diamètre et avoir atteint un mètre quatre-vingt de haut, avant que leur courbure ne s'amorçât. Il n'était pas facile d'en trouver qui répondissent à ces exigences. Dans toute la coupe, il n'y avait pas deux arbres semblables.

— Tu n'en trouveras jamais deux qui soient tout à fait pareils dans le monde entier, fils, dit Père. Il n'y a même pas deux brins d'herbe qui soient identiques. Rien ne se confond tout à fait, si tu y regardes de près.

Il leur fallut choisir deux arbres qui se ressemblaient un peu. Père les abattit et Almanzo l'aida à les charger sur le traîneau. Puis ils regagnèrent la maison pour le déjeuner.

Père et Almanzo passèrent l'après-midi à faire le petit traîneau sur l'Aire de la Grande Etable.

Père commença par dégrossir à la hache le dessous des patins : il les aplanit et les rendit lisses au-delà de la courbure amorcée par leurs avants relevés. Immédiatement derrière cette courbure, il fit une encoche plate sur le dessus, puis il en dégagea une autre près de l'extrémité arrière. Travaillant toujours à la hache, il façonna alors les deux pièces de bois qui allaient servir de traverses.

Il les ébaucha de manière à leur donner vingt-cinq centimètres de large et sept centimètres de haut, puis il les scia pour leur laisser un mètre vingt de longueur. Elles allaient être posées sur le côté. Il en creusa les coins pour les ajuster sur les entailles qu'il avait pratiquées à la partie supérieure des patins. Il incurva ensuite le dessous des traverses pour leur permettre de glisser sans encombre par-dessus les congères qui se formaient au milieu de la route.

Il mit ensuite les patins côte à côte, tout en maintenant entre eux un écart de quatre-vingt-dix centimètres, puis il posa les traverses par-dessus. Il n'ajusta pourtant pas tout de suite ces dernières.

Il dégrossit deux épaisses planches d'un mètre quatre-vingt de long; elles étaient plates dessus et dessous. Il les installa sur les traverses qui surmontaient les patins.

Prenant un foret, il transperça alors l'une des planches et la traverse qui la soutenait pour pénétrer dans le patin. Il fit passer le foret au bord de la traverse, de manière à creuser un couloir le long du côté de cette dernière. Il procéda de même de l'autre côté.

Il enfonça ensuite de solides chevilles dans les trous qu'il venait de pratiquer. Les chevilles pénétrèrent à travers la planche, puis descendirent jusqu'au patin, tout en s'ajustant admirablement dans les demi-trous préparés de part et d'autre de la traverse. Deux simples chevilles maintenaient ainsi solidement assemblés la planche, la traverse et le patin à l'un des angles du traîneau.

Père recommença à percer aux trois autres angles, mais c'est Almanzo qui fit pénétrer cette fois les chevilles à coups de marteau. Le corps du petit traîneau était donc terminé.

Père creusa alors chaque patin dans la largeur, à proximité de la traverse avant. Il écorça un bâton, puis il l'effila aux deux bouts, de manière à pouvoir insérer ceux-ci dans les trous qu'il venait de leur ménager.

Almanzo et Père écartèrent au maximum les extrémités incurvées des patins, afin que Père pût insérer les pointes du bâton dans les trous. Quand Almanzo et Père lâchèrent prise, les bouts des patins reprirent leur position et vinrent maintenir fermement le bâton en place.

Père fit alors deux trous dans ce bâton, à proximité des patins. Ils allaient servir à encastrer la flèche du traîneau. Pour façonner ce timon, il prit un ormeau, parce que l'orme est à la fois plus résistant et plus souple que le chêne.

Ce jeune arbre avait trois mètres de long, de la base au sommet. Père fit glisser un anneau de fer par la pointe, puis il le fit descendre à coups de marteau jusqu'au point du tronc où il se trouva bien ajusté, à environ soixante-quinze centimètres de la base. Il fendit alors la base en deux, jusqu'à la hauteur du cercle de fer, qu'il avait installé là pour empêcher le tronc de se fendre plus avant.

Il tailla en pointe les extrémités qu'il venait de fendre, les écarta et les inséra dans les trous du bâton qu'il avait posé en travers des deux bouts des patins. Il prépara des trous, en biais, dans ce bâton, puis perça les deux branches de la flèche, avant d'y insérer les chevilles qui les réuniraient.

Près de la pointe de la flèche, il fit pénétrer un crampon de fer. Le crampon ressortit sous la flèche. La pointe de la flèche serait introduite dans un cercle de fer, au bas du joug des bouvillons. Quand ceux-ci reculeraient, l'anneau viendrait s'appuyer contre le crampon et la flèche rigide pousserait le traîneau en arrière.

A présent, le traîneau lui-même était achevé. Il était presque l'heure d'accomplir les tâches du soir, mais Almanzo ne voulait pas abandonner son petit traîneau avant d'y avoir vu poser des montants pour retenir le bois.

Père prépara alors vivement des trous en transperçant les planches à leurs extrémités et en pénétrant dans les traverses. Almanzo enfonça un piquet d'un mètre vingt de long dans chacun de ces trous. Les hauts piquets se dressèrent bientôt aux angles du traîneau. Ils allaient retenir les rondins qu'on irait chercher dans la fûtaie.

La tempête se levait, à présent. Quand Almanzo et Père rapportèrent les seaux pleins de lait à la maison, un peu plus tard, la neige tourbillonnait et le vent mugissait.

Almanzo aurait aimé voir s'amonceler une épaisse couche de neige pour pouvoir aller chercher du bois avec son traîneau tout neuf, mais en écoutant la tempête, Père le détrompa et lui dit qu'ils ne pourraient travailler en plein air le lendemain. Etant donné qu'il leur faudrait demeurer à l'abri, ils pourraient tout aussi bien commencer à battre le grain.

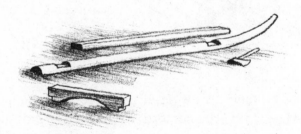

CHAPITRE 25

BATTAGE

Le vent hurlait, la neige tourbillonnait et un gémissement lugubre montait des cèdres. Les pommiers squelettiques entrechoquaient leurs branches avec un bruit sinistre. Tout, dehors, était sombre, plein de fureur et de bruit.

Les solides, les résistantes dépendances de la ferme n'étaient pas ébranlées pour autant. La tempête qui faisait rage venait battre contre elles, mais tous ces bâtiments ne paraissaient pas en avoir cure. Ils se contentaient de conserver leur bonne chaleur entre leurs murs.

Une fois qu'Almanzo eut refermé la porte derrière lui, ce ne fut plus tant le bruit de la tempête, au-dehors, qui l'impressionna, que la chaude paix qui régnait à l'intérieur. L'air y était silencieux. Les chevaux se tournèrent dans leurs stalles et hennirent doucement; les poulains secouèrent la tête et grattèrent la terre du pied. Les vaches demeuraient alignées, balançant, placides, leurs queues terminées par une touffe de poils. On les entendait ruminer.

Almanzo caressa le nez doux des chevaux; il jeta un regard d'envie et de regret mêlés vers les poulains aux yeux brillants. Puis il se dirigea vers la resserre à outils, où Père réparait un fléau.

Le fléau s'était démanché, aussi Père le remontait-il. Le battoir du fléau était un bâton de bois de fer de quatre-vingt-dix centimètres de long, dont l'épaisseur était celle d'un manche à balai. L'un de ses bouts était percé d'un trou. Le manche mesurait un mètre cinquante et l'une de ses extrémités s'achevait par une boule.

Père enfila une courroie de cuir dans le trou du battoir, puis il en riveta ensemble les deux bouts pour former une boucle de cuir. Il prit alors une seconde lanière de cuir et pratiqua une incision à proximité de chacune de ses extrémités. Il glissa cette courroie dans la boucle de cuir du battoir, puis il ouvrit les fentes pour les faire passer par-dessus la boule du manche.

Le battoir et le manche étaient souplement reliés par les deux boucles de cuir et le fléau pouvait tourner sans difficulté dans toutes les directions.

Le fléau d'Almanzo était en tous points semblable à celui de Père, mais comme il était neuf, il n'avait pas besoin d'être révisé. Quand le fléau de Père fut prêt, ils se rendirent à l'Aire de la Grange Sud.

Il y rôdait encore un léger parfum de citrouilles, bien que le bétail les eût toutes mangées. Une senteur de forêt montait de la pile de feuilles de hêtre et une odeur sèche de paille, du tas de blé. Dehors, le vent poussait des cris perçants, chassant des tourbillons de neige, mais l'Aire de la Grange Sud demeurait chaude et silencieuse.

Père et Almanzo délièrent plusieurs gerbes de blé et les étalèrent sur le plancher propre.

Almanzo demanda à Père pourquoi il ne louait pas la batteuse. A l'automne précédent, trois hommes en avaient apporté une dans le comté et Père était allé la voir. Elle égrenait toute une récolte de céréales en quelques jours.

— C'est une façon paresseuse de faire le battage, lui répondit-il. Qui trop se hâte gaspille, mais un paresseux préfère voir son travail vite fait plutôt que de le faire lui-même. Cette machine broie la paille et la rend impropre à nourrir le bétail. En outre, elle éparpille le grain et on en perd.

« La seule chose qu'elle fait gagner, fils, c'est du temps. Et à quoi sert le temps, si on n'a rien à faire? Aimerais-tu rester assis à te tourner les pouces tout au long des jours de mauvais temps, en hiver? »

— Non, répondit Almanzo, qui n'aimait déjà pas les dimanches.

Ils répartirent le blé sur une épaisseur de cinq à sept centimètres. Ils se firent alors face et prirent le manche de leur fléau à deux mains. Ils élevèrent enfin les battoirs au-dessus de leur tête et les abattirent sur le blé.

Père abattit le sien tout d'abord, puis ce fut le tour d'Almanzo. Vint ensuite le coup de Père, suivi de celui d'Almanzo. HAN! Han! HAN! Han! On aurait cru entendre défiler derrière la fanfare, le jour de la fête de l'Indépendance, ou bien battre le tambour. HAN! Han! HAN! Han!

Les grains de blé jaillissaient de leurs petites enveloppes et se glissaient à travers la paille jusqu'au sol. L'odeur agréable et légère qui s'élevait de la paille battue rappelait celle des champs de blé mûr, sous le soleil.

Avant même qu'Almanzo n'ait eu le temps de se fatiguer à manier le fléau, le moment était venu de prendre les fourches. Il souleva légèrement la paille, la secoua, puis la rejeta sur le côté. Les grains de blé dorés demeuraient éparpillés sur le plancher. Almanzo et Père étalèrent de nouvelles gerbes par-dessus, puis ils reprirent leurs fléaux.

Quand le blé égrené forma une couche épaisse sur le plancher, Almanzo l'écarta avec un grand racloir en bois.

Tout au long de ce jour-là, le tas de blé ne cessa de monter. Juste avant d'aller s'occuper des bêtes, Almanzo balaya le plancher devant le van mécanique. Père jeta alors des pelletées de blé dans la trémie, tandis qu'Almanzo tournait la manivelle.

Les vans ronflaient à l'intérieur de la machine, la balle s'échappait en nuage par-devant et les grains de blé qui en étaient débarrassés se déversaient sur le côté. Ils formaient une montagne qui s'élevait à vue d'œil. Almanzo en porta une poignée à sa bouche. Ils étaient sucrés et il fallait les mâcher longtemps avant de pouvoir les avaler.

Il continua à mâcher tout en maintenant ouverts les sacs où Père pelletait le blé. Père aligna les sacs pleins contre le mur : ils représentaient une bonne journée de travail.

— Et si nous vannions quelques faines, ça te ferait plaisir? demanda Père.

Ils jetèrent donc quelques fourchées de feuilles de hêtre dans la trémie : les vans chassèrent les feuilles et les faines, triangulaires et brunes, cascadèrent sur le sol. Almanzo en emplit un boisseau pour pouvoir en manger, ce soir-là, près du fourneau.

Il s'en fut alors en sifflant s'occuper des bêtes.

Durant tout l'hiver, chaque fois qu'il ferait mauvais, ils reviendraient là poursuivre le battage. Quand tout le blé aurait été battu, ce serait le tour de l'avoine, puis des haricots et des pois du Canada. Il y avait beaucoup de céréales pour nourrir le bétail, beaucoup de blé et de seigle à porter au moulin pour les moudre. Almanzo avait hersé les champs, il avait pris part à la moisson ; à présent, il battait la récolte.

Il aida Père à nourrir les patientes vaches, les chevaux nerveux, qui hennissaient par-dessus les barreaux de leurs stalles, les moutons affamés, qui bêlaient, puis les cochons, qui grognaient. Il avait envie de leur dire :

— Vous pouvez compter sur moi. Je suis assez grand pour prendre soin de vous tous.

Puis il referma la porte derrière lui pour la nuit, les laissa tous bien nourris, bien au chaud, bien confortables, et il traversa non sans peine la cour balayée par la tempête pour aller prendre le bon dîner qui l'attendait dans la cuisine.

CHAPITRE 26

NOËL

Très longtemps, Almanzo eut l'impression que Noël n'arriverait jamais. Oncle Andrew et tante Delia, oncle Wesley, tante Lindy et tous les cousins devaient venir partager le déjeuner de Noël. Ce serait le meilleur déjeuner de l'année. Ce jour-là, un garçon qui se serait montré gentil découvrirait peut-être un cadeau dans son bas. Les méchants garçons ne trouvaient que des fouets dans leurs bas, au matin de Noël. Almanzo s'efforçait à tel point d'être gentil depuis si longtemps qu'il avait peine à soutenir

307

cet effort pendant une durée supplémentaire.

La veille de Noël arriva enfin. Alice, Royal et Eliza Jane étaient revenus. Les deux filles nettoyaient toute la maison; pendant ce temps, Mère cuisinait. Royal aidait Père à poursuivre le battage, mais Almanzo, lui, était contraint de rester à la maison pour aider. Il n'oubliait pas le fouet, aussi acceptait-il son sort d'une humeur égale et se montrait-il plein de bonne volonté.

On lui demanda de récurer les couteaux et les fourchettes d'acier, puis de faire briller l'argenterie. Il lui fallut s'envelopper dans un tablier jusqu'au cou. Il prit la brique anglaise, en détacha un petit tas de poudre rouge, puis, s'aidant d'un chiffon mouillé, il frotta du haut en bas les couteaux et les fourchettes.

La cuisine s'emplissait d'odeurs divines. Le pain, qui sortait du four, refroidissait; les gâteaux glacés, les gâteaux secs, les tartelettes aux fruits et à la graisse de bœuf, les tourtes à la citrouille encombraient déjà les étagères de la dépense; les airelles bouillonnaient sur le feu. Mère préparait la farce de l'oie.

Dehors, le soleil brillait sur la neige. D'étincelantes stalactites de glace festonnaient les gouttières. On percevait au loin le faible tintement des grelots de traîneaux et des granges montait le joyeux han-han! han-han! des fléaux. Pourtant, quand tous les couteaux et toutes les fourchettes d'acier furent remis à neuf, Almanzo, sagement, entreprit de faire briller l'argenterie.

Il lui fallut ensuite grimper au grenier pour chercher de la sauge; il lui fallut galoper à la cave pour y prendre des pommes, remonter tout en haut pour chercher des oignons. Il emplit ensuite la caisse à bois. Il courut dans le froid chercher de l'eau à la pompe. Il se dit qu'il en avait terminé, ne serait-ce que pour quelques instants. Mais point : on l'envoya polir le côté du fourneau qui était tourné vers la salle à manger.

— Charge-toi du côté du salon, Eliza Jane, recommanda Mère. Almanzo pourrait renverser de la pâte.

Almanzo se sentit frémir. Il savait ce qui se passerait si jamais Mère apprenait l'histoire de la tache noire sur le mur du salon. Il ne souhaitait pas trouver un fouet dans son bas, le soir de Noël, mais il aurait préféré l'y découvrir plutôt que d'entendre Père lui ordonner de le suivre dans le bûcher.

Ce soir-là, tout le monde se sentit fatigué. La maison était si propre, si bien rangée, que nul n'osait plus toucher à rien. Après le dîner, Mère glissa l'oie farcie et le petit cochon de lait dans le four du fourneau, afin qu'ils y rôtissent à petit feu toute la nuit. Père régla les tirettes et remonta la pendule. Almanzo et Royal suspendirent des chaussettes propres au dossier d'une chaise, tandis qu'Alice et Eliza pendaient des bas au dossier d'une autre.

Chacun prit alors une chandelle et s'en fut se coucher.

Il faisait encore noir quand Almanzo s'éveilla. Il se sentit tout excité et se souvint aussitôt qu'on était au matin de Noël. Il rejeta les couvertures et sauta sur quelque chose de vivant, qui se mit à bouger : c'était Royal. Il avait oublié la présence de son frère, mais tout en l'enjambant, il lui cria :

— Noël! Noël! Joyeux Noël!

Il enfila son pantalon par-dessus sa chemise de nuit. Royal sauta à son tour au bas du lit et alluma la chandelle. Almanzo s'en empara, cependant que Royal protestait :

— Eh! Laisse ça là! Où est mon pantalon?

Almanzo descendait l'escalier en courant. Déjà, Alice et Eliza Jane s'élançaient hors de leur chambre, mais Almanzo les battit à la course. Il vit que sa chaussette était toute gonflée; il posa la chandelle et s'empara de sa chaussette. Le premier objet qu'il en tira était une casquette : une casquette achetée à la ville! L'écossais en avait été tissé à la machine, de même que la doublure. Les coutures avaient également été faites à la machine et les oreillettes se boutonnaient au sommet.

Almanzo poussa un cri de joie. Il n'avait même pas osé souhaiter recevoir une casquette comme celle-là. Il l'examina longuement à l'intérieur, puis à l'extérieur. Il en tâta le tissu et la doublure brillante. Il l'essaya. Elle était un tout petit peu trop large, parce qu'il était en train de grandir. Elle avait été choisie ainsi pour qu'il pût la porter longtemps.

Eliza Jane et Alice fouillaient dans leur bas avec des petits cris aigus. Royal avait trouvé une écharpe de soie. Almanzo plongea à nouveau la main dans sa chaussette et en retira pour un nickel de sucres d'orge à la menthe. Il mordit l'extrémité de l'un des bâtons : l'extérieur fondait comme du sucre d'érable, mais l'intérieur, qui était dur, paraissait pouvoir être conservé des heures durant dans la bouche.

Il sortit ensuite une nouvelle paire de moufles. Mère avait choisi un point fantaisie pour en tricoter le poignet et le dos. Il remonta ensuite une orange, puis un petit paquet de figues sèches. Il se dit que ce devait être tout. Il trouvait qu'aucun autre petit garçon n'avait été aussi gâté que lui pour Noël.

Il restait pourtant encore quelque chose dans la pointe de la chaussette. C'était un petit objet, mince et dur au toucher. Almanzo ne parvenait pas à imaginer ce que cela pouvait bien être. Il le fit sortir : c'était un canif. Il avait quatre lames.

Almanzo n'en finissait plus de crier. Il sortit toutes les lames, coupantes et brillantes, tout en s'égosillant :

— Alice, regarde! Regarde, Royal! Regardez, regardez mon couteau! Regardez ma casquette!

La voix de Père monta de la chambre obscure :

— Regardez la pendule.

Ils s'entre-regardèrent. Royal éleva alors la chandelle et ils tournèrent tous la tête vers la grande pendule. Ses aiguilles indiquaient trois heures et demie.

Eliza Jane elle-même ne savait plus que faire. Ils avaient réveillé Père et Mère une heure et demie avant l'heure habituelle.

— Quelle heure est-il? demanda Père.

Almanzo leva les yeux vers Royal. Royal et Almanzo se consultèrent du regard avec Eliza Jane. Eliza Jane avala sa salive et ouvrit la bouche, mais ce fut Alice qui parla :

— Joyeux Noël, Père! Joyeux Noël, Mère! Il est... Il est... quatre heures moins trente, Père.

La pendule fit « Tic! Tac! Tic! Tac! Tic! » Père eut un petit rire.

Royal ouvrit les tirettes du fourneau, tandis qu'Eliza Jane ranimait le feu de la cuisine et mettait la bouilloire à chauffer. L'atmosphère de la maison était chaude et confortable quand Père et Mère se levèrent. Ils disposaient d'une heure pour leur permettre d'admirer les cadeaux.

Alice avait reçu un médaillon en or et Eliza Jane, une paire de boucles d'oreilles, ornées de grenats. Mère leur avait tricoté de nouveaux cols en dentelle et des mitaines de dentelle noire. Royal avait un beau portefeuille en cuir, en plus de son écharpe de soie. Almanzo trouvait tout de même que c'était lui qui avait reçu les plus beaux cadeaux. C'était un Noël merveilleux.

Mère commença alors à s'activer et à presser tous les membres de la famille. Il y avait les tâches quotidiennes à accomplir, le lait à écrémer, le nouveau lait à filtrer et à mettre de côté, le petit déjeuner à prendre, les légumes à éplucher. Toute la maison devait être rangée et tous devaient s'être habillés avant l'arrivée des invités.

Le soleil montait très vite dans le ciel. Mère était partout à la fois et ne cessait de donner des ordres :

— Almanzo, lave-toi les oreilles! Bonté divine, Royal, ne reste pas là dans nos jambes! Eliza Jane, souviens-toi que tu épluches ces pommes de terre, que tu ne les coupes pas en tranches. Et ne leur laisse pas autant d'yeux : ça va leur donner envie de sauter hors de la marmite. Compte l'argenterie, Alice, et répartis-la parmi les couteaux et les fourchettes en acier. Les plus belles de mes nappes blanches sont rangées sur l'étagère du bas. Miséricorde, regardez-moi cette pendule!

Des grelots de traîneaux tintèrent au loin sur la route. Mère claqua la porte du four, puis courut changer de tablier et épingler sa broche sur son corsage. Alice descendit quatre à quatre et Eliza Jane monta à l'étage en courant. Toutes deux conseillèrent à Almanzo de redresser son col. Père appela Mère à son secours pour nouer sa cravate. A cet instant précis, le traîneau d'oncle Wesley s'arrêta devant la porte dans un ultime tintement de clochettes.

Almanzo se précipita au-dehors, en poussant des cris sauvages. Père et Mère arrivèrent tout de suite derrière lui, si calmes, en apparence, qu'on n'aurait jamais cru qu'ils s'étaient hâtés le moins du monde. Frank, Fred, Abner et Marie dégringolèrent du traîneau, complètement emmitouflés. Avant même que tante Lindy ait pu tendre son bébé à Mère, le traîneau de l'oncle Andrew faisait son entrée. La cour, à présent, était pleine de garçons, tandis que la maison s'emplissait de robes à crinoline. Les oncles tapaient leurs bottes pour les débarrasser de la neige, tout en déroulant leurs cache-nez.

Royal et cousin James conduisirent les traîneaux dans la remise du boghei; ils dételèrent les chevaux avant de les mettre dans des stalles et de panser leurs pattes, mouillées par la neige.

Almanzo, qui portait sa casquette neuve, montra son couteau de poche à ses cousins. La casquette de Frank était vieille, à présent, et son couteau n'avait que trois lames.

Almanzo emmena ensuite ses cousins voir Star et Bright, puis le petit traîneau, avant de leur laisser gratter le dos gras et blanc de Lucy avec des épis de maïs. Il leur proposa d'aller jeter un coup d'œil sur Starlight, à condition de ne pas faire de bruit et de ne pas l'effrayer.

Le beau poulain dressa la queue et s'approcha d'eux à petits pas. Il secoua la tête et s'écarta de la main que lui tendait Frank à travers les barreaux.

— Laisse-le tranquille! ordonna Almanzo.

— Je parie que t'oses pas aller là-dedans et te hisser sur son dos, dit Frank, pour le provoquer.

— C'est pas que j'oserais pas, mais j'ai plus de bon sens que ça, répliqua Almanzo. J'ai assez de sens pour savoir qu'il ne faut pas gâter un beau poulain comme celui-là.

— Et comment ça que tu l' gâterais? dit Frank. Eh, t'as peur qu'il te fasse mal! T'as peur de ce p'tit poulain de rien du tout.

— J' n'en ai pas peur, protesta Almanzo, mais Père ne me laisse pas l'approcher.

— *Moi,* j' crois que je l' ferais, si j' voulais, à ta place. J' crois bien qu' ton père n'en saurait rien, dit Frank.

Almanzo ne trouva rien à répondre. Frank se mit à grimper aux barreaux de la stalle.

— Descends d' là, lui enjoignit Almanzo, en s'agrippant à la jambe de Frank. N' va pas faire peur à c' poulain !

— J' lui f'rai peur si j'en ai envie, répliqua Frank, tout en lui décochant des coups de pieds.

Starlight ne cessait de courir en rond dans sa stalle. Almanzo avait bonne envie d'appeler Royal à la rescousse, mais il savait que cela ne ferait qu'effrayer davantage Starlight.

Il serra donc les dents et tira un bon coup. Frank dégringola. Tous les chevaux sursautèrent, cependant que Starlight se cabrait et lançait les pattes contre sa mangeoire.

— J' te rosserai pour ça, cria Frank, tout en jouant des pieds et des mains pour regrimper.

— Essaye un peu de m' rosser! cria Almanzo.

Royal surgit en courant de la Grange Sud. Il saisit Almanzo et Frank par l'épaule, puis il les poussa dehors. Fred, Abner et John les suivirent sans dire mot. Almanzo sentait ses genoux se dérober sous lui : il avait peur que Royal ne racontât tout à Père.

— Si j' vous prends encore à rôder autour de ces poulains, menaça Royal, j'irai l' dire à Père et à oncle Wesley. Vous récolterez une raclée dont vous vous souviendrez.

Royal secouait Almanzo à tel point que celui-ci ne se rendait pas compte de quelle façon il traitait Frank. Puis Royal leur cogna la tête l'une contre l'autre. Almanzo en vit trente-six chandelles.

— Que j' vous y reprenne à vous disputer. Le jour de Noël! Vous n'avez pas honte! s'écria Royal, indigné.

— Tout c' que j' voulais, c'est qu'il n' fasse pas peur à Starlight, protesta Almanzo.

— Pas un mot de plus! coupa Royal. Ne t' mets pas à rapporter. Maintenant, tenez-vous

317

tranquilles ou vous le regretterez. Allez vous laver les mains. On va déjeuner.

Ils se rendirent tous à la cuisine et se lavèrent les mains. Mère, les tantes et les cousines s'occupaient du déjeuner de Noël. La table avait été tournée et ses rallonges tirées, si bien qu'elle faisait presque toute la longueur de la salle à manger. Elle disparaissait sous les bonnes choses.

Almanzo baissa la tête et ferma fort les yeux, lorsqu'il entendit Père prononcer le bénédicité. La prière était plus longue que de coutume, parce que c'était le jour de Noël. Quand Almanzo rouvrit les yeux, il se contenta de contempler la table en silence.

Il aperçut tout d'abord le petit cochon de lait rôti, à la peau croquante, allongé sur le plat bleu, une pomme dans la gueule. Il découvrit ensuite la grosse oie rôtie, aux pilons dressés, dont une partie de la farce était partiellement exposée. Le bruit que fit Père en aiguisant son couteau sur le fusil lui ouvrit encore davantage l'appétit.

Il jeta un regard d'envie sur le grand bol de gelée d'airelles, la montagne floconneuse de purée, surmontée de beurre fondu, le cône de purée de navets, les courges dorées qui sortaient du four et les pâles panais frits.

Il avala sa salive à grand-peine et s'efforça de

318

détourner les yeux. Il ne put éviter d'apercevoir les pommes et les oignons frits, ni les carottes glacées. Il ne put s'empêcher non plus d'entre-voir les triangles de tourtes, qui attendaient non loin de son assiette : la tourte à la citrouille, bien épicée, la tourte de crème anglaise, si fondante, la riche et sombre pâte aux fruits qu'il devinait entre les fentes de la croûte sablée des tartelettes.

Il serra les mains entre ses genoux. Il lui fallait conserver le silence et attendre, mais il souffrait de la faim et sentait se creuser le gouffre qu'il avait dans l'estomac.

Tous les adultes groupés au haut bout de la table allaient être servis les premiers. Ils pas-saient leurs assiettes, échangeaient des propos, riaient sans pitié. Le tendre porc tombait, tranche après tranche, sous le couteau à décou-per de Père. Le blanc de l'oie se détachait, morceau après morceau, du bréchet qui se dénudait. Les cuillers plongeaient dans la gelée d'airelles translucide, creusaient des tunnels dans la purée, faisaient disparaître les sombres jus de viande.

Almanzo serait servi tout à fait en dernier. Il était le plus jeune, à l'exception d'Abner ou des bébés, et Abner était invité.

Enfin, l'assiette d'Almanzo fut remplie. Dès la première bouchée, il se sentit pénétré d'une sensation agréable, qui crût et ne cessa plus de s'amplifier, tandis qu'il mangeait, qu'il mangeait, qu'il mangeait. Il continua à absorber de la nourriture jusqu'au moment où il ne put plus rien avaler. Il se sentit alors beaucoup mieux. Il grignota lentement, quelque temps encore, sa tranche de cake aux fruits. Puis il fourra la fin de la tranche fruitée dans sa poche et s'en fut jouer dehors.

Royal et James étaient en train de choisir des partenaires pour jouer au fort de neige. Royal choisit Frank et James choisit Almanzo. Quand tous furent répartis en deux équipes, ils se mirent au travail : il fallait rouler de grosses boules dans les monceaux de neige qui s'étaient accumulés près de la grange. Ils les roulèrent jusqu'au moment où ces boules furent presque aussi hautes qu'Almanzo; puis ils les rapprochèrent pour former un mur. Ils entassèrent enfin de la neige entre elles pour consolider leur fort.

Chaque équipe prépara ensuite des petites boules de neige. Ils soufflaient sur la neige et la serraient entre leurs mains pour la durcir. Ils préparèrent ainsi des dizaines de dures boules de neige. Quand ils furent prêts à se battre, Royal lança un bâton en l'air et le rattrapa. James posa sa main sur le bâton au-dessus de la main de Royal, puis Royal saisit le bâton juste au-dessus de la main de James et ils poursuivirent ainsi jusqu'au bout du bâton. Comme la main de James était la dernière, c'est l'équipe de James qui hérita du fort.

Il fallut voir les boules de neige voler! Almanzo se baissa, esquiva, poussa des cris et lança des boules de neige à toute volée jusqu'à l'épuisement de leurs munitions. Royal, alors, se lança à la charge et grimpa à l'assaut du mur, suivi de tous les ennemis. Almanzo se releva et saisit Frank. Ils roulèrent au bas du mur, la tête la première dans la neige profonde. Ils continuèrent à rouler un long moment, en s'accrochant l'un à l'autre et en se donnant les coups les plus violents.

Le visage d'Almanzo était couvert de neige; il en avait la bouche pleine, mais il ne lâchait pas Frank et le frappait toujours. Frank le renversa, mais Almanzo parvint à se libérer en se tortillant. La tête de Frank lui cogna le nez et il se mit à saigner. Almanzo ne s'arrêta pas pour autant. Il avait pris le dessus et martelait Frank de toutes ses forces dans la neige profonde, tout en exigeant :

— Crie qu' ça suffit! Crie qu' ça suffit!

Frank grondait et se tortillait. Il se redressa à demi, mais Almanzo lui sauta aussitôt dessus. Almanzo ne parvenait plus à rester sur Frank et à lui assener des coups en même temps, aussi pesa-t-il sur son cousin de tout son poids, avant de lui pousser la figure de plus en plus profondément dans la neige.

Enfin, Frank hoqueta :

— Suffit !

Almanzo s'agenouilla et découvrit que Mère se tenait dans l'encadrement de la porte de la maison. Elle les appelait :

— Les garçons ! Les garçons ! Arrêtez-vous de jouer, maintenant. Il est temps de rentrer vous réchauffer.

Ils n'avaient pas froid. Ils étaient en nage et tout essoufflés. Mère et les tantes pensaient néanmoins que les cousins devaient rentrer se réchauffer avant de repartir en traîneau, dans le froid. Ils regagnèrent donc tous la maison, en tapant des pieds, couverts de neige. En les voyant approcher, Mère leva les bras au ciel et s'écria :

— Miséricorde !

Les adultes étaient au salon, mais les garçons durent demeurer dans la salle à manger, afin que la neige dont ils étaient couverts ne fît pas des flaques sur le tapis du salon. Comme il leur était impossible de s'asseoir, puisque les chaises disparaissaient sous les couvertures de voyage chauffant près du fourneau, ils mangèrent des pommes et burent du cidre, en restant debout. Almanzo et Abner se glissèrent dans la dépense pour y prendre quelques restes dans les plats.

Les oncles, les tantes et les cousines mirent ensuite leurs manteaux, puis après les avoir enroulés dans des châles, ils rapportèrent les bébés endormis qu'on avait couchés dans la chambre. Sortant de la remise, les traîneaux s'avancèrent jusqu'à la porte en tintant. Père et Mère aidèrent à envelopper de couvertures les robes à crinoline. Tout le monde se mit à crier :

— Au revoir! Au revoir!

La musique des grelots des traîneaux fut encore quelque temps rapportée par le vent, puis elle s'évanouit.

Noël était passé.

CHAPITRE 27

LE TRANSPORT
DU BOIS

Quand l'école ouvrit ses portes, au mois de janvier, comme d'habitude, Almanzo n'eut pas à faire la rentrée. Il transportait du bois depuis le chantier d'abattage.

Par les matins glacés, avant le lever du soleil, Père attelait les grands bœufs au grand traîneau, cependant qu'Almanzo attelait les bouvillons à son propre traîneau. Star et Bright étaient maintenant trop grands pour le petit joug et le joug plus important qu'on leur mettait était trop lourd pour Almanzo. Pierre devait l'aider à le soulever pour le poser sur l'encolure de Star, tandis que Louis l'aidait à pousser Bright à sa place.

Les bouvillons étaient demeurés tout l'été au pâturage. A présent, ils n'aimaient plus travailler. Ils secouaient la tête, tiraient ou reculaient. Il était difficile de leur mettre les colliers et d'y passer les goupilles.

Almanzo devait faire montre de patience et de douceur. Il flattait les bouvillons (même s'il lui arrivait, parfois, d'avoir envie de les battre), il leur offrait des carottes et leur parlait gentiment. Mais avant qu'il ait pu réussir à leur poser le joug et à les atteler à son traîneau, Père était déjà parti pour la coupe.

Almanzo le suivait. Les bouvillons lui obéissaient quand il criait « Hue! », puis ils tournaient vers la droite ou la gauche, lorsqu'il faisait claquer son fouet et lançait « Huhau! » ou « Dia! » Ils cheminaient péniblement quelque temps sur la route, puis ils grimpaient au sommet des collines, redescendaient l'autre versant, et tout au long du chemin, Almanzo conduisait son traîneau, emmenant Pierre et Louis derrière lui.

Il avait dix ans, à présent, et il menait son propre attelage et son propre traîneau jusqu'au chantier d'exploitation pour en rapporter du bois.

Dans la forêt, le vent avait accumulé la neige très haut contre les arbres. Les branches basses des pins et des cèdres y étaient enfouies. Il n'y avait plus de chemin ; il n'y avait d'autres traces sur la neige que les empreintes en point d'arêtes des pattes d'oiseaux et les endroits où les lapins, en sautant, avaient brouillé la surface. Au cœur des bois silencieux, les haches entaillaient les arbres avec un son clair.

Les grands bœufs de Père plongeaient dans la neige jusqu'au poitrail pour ouvrir la route ; les bouvillons d'Almanzo avaient peine à les suivre. Ils s'enfoncèrent très profondément dans les bois, jusqu'à la clairière où French Joe et Lazy John étaient en train d'abattre les arbres.

Il y avait des rondins partout, à demi enfouis dans la neige. John et Joe les avaient sciés à quatre mètres cinquante et certains d'entre eux mesuraient soixante centimètres de diamètre. Les énormes rondins étaient si lourds que six hommes n'auraient pas pu les soulever, et pourtant, Père allait devoir les charger sur le traîneau.

Père arrêta son traîneau près d'un rondin. John et Joe vinrent l'aider. Ils avaient pris trois pieux, auxquels ils donnaient le nom de rampes. Ils les glissèrent sous le rondin, puis ils les inclinèrent de manière à en faire monter l'autre extrémité jusqu'au traîneau. Ils allèrent ensuite chercher leur tourne-bille. Les tourne-billes étaient de solides perches, effilées à un bout, sous lesquelles on avait fixé un grand croc de fer, qui oscillait librement en tous sens.

John et Joe s'étaient placés aux deux bouts du rondin. Ils glissèrent les pointes de leurs tourne-billes sous le rondin et quand ils le soulevèrent, les crocs mordirent dans le bois et le firent un peu rouler sur lui-même. Père saisit alors le milieu du rondin avec son tourne-bille et le crocha, l'empêchant de reculer. John et Joe purent alors retirer vivement leurs tourne-billes avant de s'assurer une nouvelle prise. Ils surélevèrent un peu plus le rondin, puis Père le retint dans cette nouvelle position en attendant qu'ils recommencent à le soulever.

Ils le firent ainsi rouler peu à peu sur les rampes jusqu'au moment où il bascula dans le traîneau.

Almanzo, pour sa part, ne disposait pas de tourne-bille. Or, il lui fallait charger son traîneau.

Il alla chercher trois perches toutes droites pour s'en servir comme rampes. Avec des perches plus petites, il entreprit de charger des rondins de faible taille. Ceux-ci avaient vingt à vingt-deux centimètres de diamètre et deux mètres cinquante de long, environ. Ils étaient tordus et difficiles à déplacer.

Almanzo plaça Pierre et Louis aux deux extrémités d'un rondin, puis il se mit au centre, comme l'avait fait Père. Ils poussèrent, exercèrent des pesées, soulevèrent et haletèrent pour faire remonter leur rondin le long des plans inclinés qu'ils avaient préparés. Leur tâche était pénible, car leurs perches n'étaient pas équipées de croc, aussi n'avaient-ils aucun moyen de retenir le rondin.

Ils parvinrent à charger six rondins. Ils voulurent en monter davantage, mais les rampes auraient dû, pour ce faire, prendre une pente plus accentuée. Le traîneau de Père était déjà complètement chargé, aussi Almanzo voulut-il se hâter. Il fit claquer son fouet, pressant Star et Bright de se rapprocher d'un rondin qu'il voyait à proximité.

Comme l'une des extrémités de ce rondin était plus grosse que l'autre, il était impossible de le faire rouler régulièrement, comme les précédents. Almanzo confia donc le petit bout à Louis, en lui demandant de ne pas le faire monter trop vite. Pierre et Louis réussirent à soulever le rondin d'un peu plus de deux centimètres, puis Almanzo glissa sa perche par-dessous et le retint, tandis que Pierre et Louis le faisaient monter plus haut. Ils hissèrent ce rondin presque jusqu'au sommet des rampes raides.

Almanzo mettait en œuvre toutes ses forces pour le maintenir en position. Il tendait les jambes, serrait les dents, raidissait le cou et il avait l'impression d'avoir les yeux exorbités. Brusquement, il sentit le rondin glisser.

La perche lui échappa et vint le frapper à la tête. Le rondin lui tombait dessus. Il voulut s'écarter, mais le tronc le projeta dans la neige.

Pierre et Louis poussèrent un cri perçant qui n'en finissait plus. Almanzo était incapable de se relever. Le rondin pesait sur lui. Père et John

vinrent le soulever et Almanzo put ramper pour se dégager. Tant bien que mal, il se remit debout.

— Tu es blessé, fils? lui demanda Père.

Almanzo avait l'impression d'être sur le point de vomir. D'une voix entrecoupée, il dit :

— Non, Père.

Père lui tâta les épaules et les bras.

— Bon, bon, il n'y a pas de fracture, constata-t-il, soulagé.

— Encore heureux que la neige ait été profonde, dit John. Sinon, il aurait pu lui arriver quelque chose de grave.

— Les accidents, ça se produit, fils, dit Père. Fais plus attention, la prochaine fois. Les hommes doivent prendre garde, quand ils travaillent dans la forêt.

Almanzo aurait aimé pouvoir s'allonger. Il avait mal à la tête, mal au cœur, atrocement mal au pied droit. Il aida pourtant Pierre et Louis à redresser le rondin, mais il ne fit rien pour les presser, cette fois. Ils montèrent le rondin sur le traîneau, mais ils n'y parvinrent qu'après que Père eut pris la route du retour avec son chargement.

Almanzo décida de ne pas emporter plus de rondins pour ce voyage. Il grimpa sur la charge, claqua son fouet et lança :

— Hue!

Star et Bright tirèrent, mais le traîneau ne bougea pas d'un pouce. Star fit un nouvel effort, puis renonça. Bright essaya à son tour, puis abandonna au moment précis où Star faisait un nouvel effort. Ils s'arrêtèrent, découragés.

— Hue! Hue! criait Almanzo, en claquant son fouet.

Star fit une nouvelle tentative, puis ce fut le tour de Bright et à nouveau celui de Star. Le traîneau ne s'ébranlait pas. Star et Bright s'immobilisèrent, hors d'haleine. Almanzo avait l'impression tout à la fois qu'il allait se mettre à pleurer et à jurer. Il hurla encore :

— Hue! Hue!

John et Joe cessèrent de scier. Joe s'approcha du traîneau.

— Vous êtes trop chargés, expliqua-t-il. Vous les garçons, descendez. Vous irez à pied. Quant à toi, Almanzo, il faut que tu parles à ton attelage et que tu l'encourages en lui parlant doucement. Tu rendras ces bœufs rétifs, si tu n'y prends garde.

Almonzo descendit du traîneau. Il caressa la gorge des bouvillons et leur gratta le tour des cornes. Il souleva un peu le joug et passa la main dessous, avant de le remettre doucement en place. Il ne cessait, cependant, de leur parler. Il se plaça enfin à côté de Star, claqua son fouet et ordonna :

— Hue!

Star et Bright se mirent à tirer ensemble et le traîneau se déplaça.

Almanzo dut se frayer péniblement un chemin jusqu'à la ferme. Pierre et Louis suivaient les traces des patins, mais Almanzo s'ouvrait une voie dans la neige molle et profonde, à côté de Star.

Quand il atteignit le tas de bois, à la ferme, Père le complimenta d'être parvenu à sortir de la coupe.

— La prochaine fois, fils, poursuivit-il, tu sauras qu'il ne faut pas prendre une charge aussi lourde quand la piste n'est pas encore faite. Tu gâteras ton attelage, si tu le laisses osciller. Les bœufs en retirent l'idée qu'ils ne peuvent tirer la charge et ils ne font plus d'effort. Après cela, ils ne sont plus bons à rien.

Almanzo ne put avaler son déjeuner. Il avait le cœur barbouillé et son pied lui faisait mal. Mère pensait qu'il ferait peut-être mieux de ne plus aller travailler, mais Almanzo ne voulait pas se laisser arrêter par un petit accident.

Il était néanmoins ralenti dans ses mouvements. Avant qu'il n'ait pu atteindre le chantier, il croisa Père qui revenait. Il savait qu'un traîneau vide devait toujours céder la route à un traîneau chargé, aussi fit-il claquer son fouet et lança-t-il :

— Huhau!

Star et Bright firent un écart sur la droite. Almanzo n'eut pas le temps de pousser un cri qu'ils disparaissaient dans la neige profonde du fossé. Ils ne savaient pas encore se frayer un passage, comme les grands bœufs. Ils soufflaient, trébuchaient et plongeaient la tête la première, tandis que le traîneau s'enfonçait sous la neige. Les jeunes bœufs essayèrent de faire demi-tour; le joug, tordu, les étranglait presque.

Almanzo pataugea dans la neige pour atteindre la tête des bouvillons. Père se tourna pour l'observer au passage. Puis il regarda à nouveau droit devant lui et poursuivit sa route vers la maison.

Almanzo atteignit enfin la tête de Star et se mit à lui parler avec douceur. Pierre et Louis étaient arrivés au niveau de Bright. Les bouvillons renoncèrent à plonger. On ne voyait plus d'eux que la tête et le dos. Almanzo jura :

— Bon sang d' bon sang!

Il leur fallut dégager les bouvillons et le traîneau. Comme ils n'avaient pas de pelle, ils déplacèrent la neige avec les mains et les pieds. Il n'y avait pas moyen de s'en sortir autrement.

Cela leur prit beaucoup de temps, mais ils dégagèrent à coups de pied ou à la main toute la neige qui faisait obstacle au passage du traîneau et des jeunes bœufs. Ils la tassèrent bien et

333

éliminèrent toutes les bosses qui se trouvaient devant les patins. Almanzo redressa le timon, la chaîne et le joug.

Il lui fallut s'asseoir et se reposer une minute, mais quand il se releva, il flatta Star et Bright, puis les encouragea. Il prit une pomme qu'avait apportée Pierre, la rompit en deux et l'offrit aux petits bœufs. Quand ils l'eurent mangée, il fit claquer son fouet et cria gaiement :

— Hue!

Pierre et Louis poussèrent le traîneau de toute leur force. Le traîneau s'ébranla. Almanzo lança des ordres et claqua son fouet. Star et Bright arrondirent le dos et se mirent à tirer. Ils remontèrent la pente, s'arrachèrent au fossé. Le traîneau les suivit après une embardée.

C'était là une situation difficile, dont Almanzo s'était sorti tout seul.

La route, dans la forêt, était à peu près aplanie, à présent, et cette fois, Almanzo ne prit pas tant de rondins sur son traîneau. Il put donc faire la route du retour perché sur sa charge, tandis que Pierre et Louis s'asseyaient derrière lui.

Tout en bas de la longue route, il vit Père qui revenait. Il se dit que Père devrait se ranger pour le laisser passer.

Star et Bright avançaient d'un bon pas et le traîneau glissait sans peine sur la route blanche.

Le fouet d'Almanzo claquait fort dans l'air glacé. Les grands bœufs de Père ne cessaient de se rapprocher et Père se trouvait sur son grand traîneau.

Le moment était venu, pour les grands bœufs, de laisser la place à la charge d'Almanzo, mais peut-être Star et Bright se souvenaient-ils s'être détournés la fois précédente. Ou peut-être savaient-ils qu'ils devaient se montrer polis à l'égard des bœufs plus âgés et plus grands qu'eux. Nul ne s'attendait à les voir s'écarter de la route : c'est justement ce qu'ils firent.

L'un des patins s'enfonça dans la neige profonde. Et hop! Le traîneau, la charge et les garçons versèrent, sens dessus dessous, pêle-mêle.

Almanzo s'envola les quatre fers en l'air et retomba la tête la première dans la neige.

Il pataugea, joua des pieds et des mains, puis refit surface. Son traîneau était sur le côté, les rondins étaient éparpillés et plantés dans des monceaux de neige. Il y avait un enchevêtrement de jambes et de flancs brun roux profondément enfoncé dans la neige. Les grands bœufs de Père poursuivaient leur chemin, sans se départir de leur calme.

Pierre et Louis se levèrent et jurèrent en français. Père arrêta ses bœufs et descendit de son traîneau.

— Eh bien, eh bien, fils, dit-il. On dirait qu'on s' retrouve.

Almanzo et Père examinèrent les bouvillons. Bright était couché sur Star; leurs pattes, la chaîne et le timon étaient tout emmêlés et le joug reposait sur les oreilles de Star. Les bouvillons demeuraient immobiles : ils étaient trop intelligents pour tenter le moindre mouvement. Père vint à leur secours pour les dépêtrer et les remettre sur pied. Ils n'étaient pas blessés.

Père aida ensuite Almanzo à reposer son traîneau sur les patins. En utilisant les poteaux de son traîneau comme rampes et ceux du traîneau d'Almanzo comme perches, il rechargea les rondins. Puis il recula de quelques pas et ne fit aucun commentaire, cependant qu'Almanzo reposait le joug sur la tête de Star et de Bright, les caressait, les encourageait et leur faisait tirer la charge, inclinée au bord du fossé, jusqu'à ce qu'ils aient regagné sans histoire le milieu de la route.

— C'est comme ça qu'il faut s'y prendre, fils. Quand on retombe, on se relève!

Il reprit le chemin de la coupe et Almanzo poursuivit jusqu'au tas de bois de la maison.

Tout au long de cette semaine-là et tout au long de la semaine suivante, il se rendit dans la forêt pour participer au transport du bois. Il devenait peu à peu un bon conducteur d'attelage et un bon chargeur de bois. De jour en jour, son pied devenait moins sensible, si bien qu'à la fin il ne boitait presque plus.

Il aida Père à transporter une énorme pile de rondins, prêts à être sciés, fendus et cordés, dans le bûcher.

Puis un soir, Père annonça qu'ils avaient transporté toute la réserve de bois dont ils auraient besoin pour l'année. Quant à Mère, elle déclara qu'il était grand temps pour Almanzo de retourner à l'école, s'il voulait recevoir un peu d'éducation cet hiver-là.

Almanzo lui répondit qu'il y avait encore du battage à faire et qu'il fallait dresser les chevaux. Il voulut savoir :

— Pourquoi faut-il que j'aille à l'école? Je sais lire, écrire, épeler. Je ne veux ni être instituteur, ni être commerçant.

— Tu sais lire, écrire et épeler, reprit Père, d'une voix lente, mais sais-tu compter?

— Oui, Père, répondit Almanzo. Oui, je sais compter... un peu.

— Un fermier doit savoir compter mieux que ça, fils. Il vaut mieux que tu ailles à l'école.

Almanzo ne dit plus rien : il savait que ce serait inutile. Le lendemain matin, il prit sa gamelle et s'en fut à l'école.

Cette année-là, sa place, dans la classe, était plus éloignée du tableau, aussi avait-il un pupitre pour y poser ses livres et son ardoise. Il se mit très sérieusement à étudier dans l'espoir d'apprendre toute l'arithmétique. Il se disait que plus vite il la saurait, plus vite il n'aurait plus besoin de retourner à l'école.

CHAPITRE 28

LE PORTEFEUILLE
DE M. THOMPSON

Père avait tant de foin, cette année-là, que son bétail ne parviendrait pas à tout manger, aussi décida-t-il d'en vendre une partie à la ville. Il se rendit dans les bois et rapporta un rondin de frêne, droit et lisse. Il l'écorça, puis il donna des coups sur ce rondin avec une masse de bois, en le tournant et en le battant pour assouplir la couche de bois qui s'était formée au cours du dernier été, puis détacher la fine couche de bois qui se trouvait au-dessous et qui s'était créée au cours de l'été précédent.

Il fit de longues fentes avec son couteau d'une extrémité du rondin à l'autre, en les espaçant de quatre centimètres. Il entreprit ensuite de peler cette mince et résistante couche de bois en rubans d'environ quatre centimètres de large. C'étaient des liens de frêne.

Quand Almanzo les vit empilés sur l'Aire de la Grande Etable, il comprit que Père allait botteler du foin, aussi lui demanda-t-il :

— Est-ce que tu as besoin d'aide?

Père lui jeta un regard où brillait une pointe de malice.

— Oui, fils, répondit-il. Tu peux rester à la maison et manquer l'école. Tu n'apprendras jamais trop tôt à botteler le foin.

Tôt, le lendemain matin, M. Weed, le botteleur, arriva à la ferme avec sa presse. Almanzo l'aida à l'installer sur l'Aire de la Grande Etable. C'était une caisse en bois massive, qui avait la longueur et la largeur d'une botte de foin, mais qui, par contre, mesurait bien trois mètres de haut. Son couvercle pouvait être assujetti, mais le fond demeurait mobile. Quant aux leviers, ils couraient sur des roulettes posées sur des rails de fer qui sortaient aux quatre angles de la caisse.

Les rails ressemblaient à des rails de chemin de fer en miniature, aussi donnait-on à cette belle machine, inventée depuis peu, le nom de presse à rails. Dans la cour carrée, Père et M. Weed installèrent un treuil équipé d'un long va-et-vient. Un cordage partait du treuil pour aller passer à travers un anneau sous la presse à foin, puis il était relié à un autre câble qui allait jusqu'aux roues, placées au bout des leviers.

Quand tout fut prêt, Almonzo attela Bess au va-et-vient. Père lança des fourchées de foin dans la caisse, M. Weed monta à l'intérieur et tassa ce foin aux pieds jusqu'au moment où ils ne purent en faire contenir davantage. Il ferma alors le couvercle, puis Père lança :

— Ça va, Almanzo!

Almanzo fit claquer les traits sur le dos de Bess, tout en s'écriant :

— Hue, Bess!

Bess commença à tourner autour du treuil et le treuil enroula le cordage. Le cordage tira les bras extérieurs des leviers vers la presse. Quant aux bras intérieurs, ils poussèrent le fond mobile. Le fond s'éleva lentement et pressa le foin. Le câble cria, la caisse grinça : le foin se trouvait pressé au maximum. Père lança alors :

— Ho!

Almanzo cria à son tour :

— Ho, Bess!

Père se hissa sur la presse et inséra les liens de frêne dans les étroites fentes qui avaient été aménagées dans les parois. Il les serra très fort autour de la botte de foin, avant de les nouer solidement.

M. Weed défit le couvercle et la botte de foin sauta à l'extérieur, toute bombée sous la pression des liens de frêne. Elle pesait plus de cinquante kilos, mais Père la souleva sans effort apparent.

Père et M. Weed remirent la presse dans sa position première, Almanzo déroula la corde du treuil et ils recommencèrent toutes les opérations pour faire une nouvelle botte de foin. Ils travaillèrent ainsi toute la journée, mais le soir venu, Père déclara qu'ils avaient assez bottelé comme cela.

Almanzo, assis à la table du dîner, souhaitait ne pas avoir à retourner à l'école. Il pensait aux problèmes de calcul et il réfléchissait si intensément que les mots lui sortirent de la bouche, sans qu'il ait pu se contrôler :

— Trente bottes par charge à deux dollars la botte, ça fait soixante dollars la char...

Il s'interrompit, tout intimidé. Il savait bien qu'il ne devait pas parler à table, s'il n'y avait pas été invité.

— Miséricorde ! Ecoutez-moi donc cet enfant ! s'écria Mère.

— Eh bien, eh bien, fils. Je vois que tu n'as pas étudié en vain, dit Père.

Il but le thé de sa soucoupe, la reposa

sur la table et regarda à nouveau Almanzo.

— L'instruction est toujours plus efficace quand on la met en application. Veux-tu venir en ville avec moi, demain, pour vendre cette charge de foin?

— Oh, oui! S'il te plaît, Père!

Il n'eut pas à prendre le chemin de l'école, le lendemain matin. Il grimpa tout en haut de la charge de foin, s'allongea sur le ventre et joignit les talons en l'air. Le chapeau de Père était très en dessous de lui et plus bas encore, il apercevait les croupes larges des chevaux. Il était aussi haut perché que s'il avait grimpé dans un arbre.

La charge oscillait légèrement, le tombereau grinçait, les sabots des chevaux faisaient résonner sourdement la neige durcie. L'air était clair et froid, le ciel, d'un bleu très pur et tous les champs étincelaient sous la neige.

Tout de suite après avoir passé le pont qui enjambait la Trout, Almanzo aperçut un petit objet noir, qui gisait au bord de la route. Quand le tombereau passa à sa hauteur, il se pencha par-dessus bord et vit qu'il s'agissait d'un porte-billets. Il poussa un cri. Père arrêta les chevaux et le laissa descendre pour aller le ramasser. C'était un gros portefeuille noir, bien gonflé.

Almanzo escalada les bottes de foin à la force des bras et des jambes, puis les chevaux repartirent. Il examina le portefeuille, l'ouvrit : il était plein de billets. Il n'y avait aucun papier pour permettre d'en identifier le propriétaire.

Il le tendit à Père et Père lui remit les guides. L'attelage lui paraissait très loin et les traits s'inclinaient fortement avant d'atteindre les attelles; Almanzo se sentait très petit. Pourtant, il aimait conduire. Il tenait les guides avec beaucoup d'attention et les chevaux maintenaient une allure régulière. Père examinait à son tour le portefeuille et l'argent qu'il contenait.

— Il y a quinze cents dollars, là-dedans, constata enfin Père. A présent, à qui est-ce que ça peut bien appartenir? Voilà un homme qui n'a pas confiance dans les banques, sinon il ne transporterait pas autant d'argent sur lui. On voit bien, aux plis des billets, qu'il les transporte depuis quelque temps. Ce sont de grosses coupures, qui sont pliées ensemble; il est vraisemblable qu'il les ait reçues toutes en même temps. Maintenant, qui peut bien être assez soupçonneux, assez avaricieux et avoir vendu récemment quelque chose de valeur?

Almanzo l'ignorait, mais Père ne s'attendait pas à une réponse de sa part. Les chevaux prirent une courbe de la route aussi bien que si Père les avait conduits.

— Thompson! s'exclama Père. Il a vendu de la terre, à l'automne dernier. Il a peur des banques, il est soupçonneux et il est tellement avare qu'il écorcherait une puce pour en récupérer la peau et le suif. Thompson! C'est sûrement l'homme en question!

Il mit le porte-billets dans sa poche et reprit les traits.

— Nous allons voir si nous ne pouvons pas le trouver en ville, conclut-il.

Père se rendit tout d'abord à l'Ecurie de louage, Vente et Fourrage. Le loueur de chevaux sortit. Comme convenu, Père laissa Almanzo vendre le foin. Il demeura un pas en arrière et n'intervint pas cependant qu'Almanzo expliquait au loueur que leur foin était composé de bonne fléole des prés et de bon trèfle, qu'il était propre, qu'il avait de l'éclat et que chaque botte, bien liée, pesait bon poids.

— Combien en voulez-vous? demanda le loueur.

— Deux dollars un quart la botte, répondit Almanzo.

— Je ne le paierai pas ce prix-là, répliqua le loueur. Ça ne les vaut pas.

— Pour vous, le juste prix, ça serait combien? lui demanda Almanzo.

— Deux dollars et pas un penny de plus, lui assura le loueur.

— Très bien, je prendrai deux dollars, accepta vivement Almanzo.

Le loueur regarda Père, puis il repoussa son

chapeau et demanda à Almanzo pourquoi il avait commencé par réclamer deux dollars et quart pour son foin.

— Est-ce que vous le prenez à deux dollars? voulut savoir Almanzo.

Le loueur le confirma.

— Eh bien, expliqua Almanzo. J'en ai demandé deux dollars un quart, parce que si j'en avais demandé deux, vous ne m'auriez donné qu'un dollar soixante-quinze.

Le loueur partit à rire et dit à Père :

— C'est un malin, ce garçon que vous avez là !

— On verra ça avec le temps, répondit Père. On a déjà vu plus d'une chose bien commencer et mal finir. Il reste à voir comment il tournera à la longue.

Père ne prit pas l'argent du foin; il laissa Almanzo le recevoir et le recompter pour s'assurer qu'il y avait bien soixante dollars.

Ils se dirigèrent ensuite vers la boutique de M. Case. Cette boutique était toujours pleine de monde, mais Père en était un fidèle client, parce que M. Case faisait payer ses marchandises moins cher que les autres commerçants. M. Case disait volontiers : « Je préfère voir rentrer vivement une pièce de six pence qu'un shilling de temps à autre. »

Almanzo attendait avec Père, au milieu de la

346

foule, que M. Case eût servi les premiers arrivants. M. Case se montrait toujours poli et aimable avec tout le monde. Il le fallait, parce que tous ces gens étaient ses clients. Père était toujours poli, lui aussi, mais il ne se montrait pas aussi aimable avec certaines personnes qu'avec d'autres.

Au bout d'un moment, Père confia le portefeuille à Almanzo et lui demanda de chercher M. Thompson. Père devait demeurer dans la boutique pour attendre son tour ; il n'avait pas de temps à perdre, s'ils voulaient être de retour à l'heure des corvées.

Il n'y avait pas un garçon dans la rue : ils étaient tous à l'école. Almanzo était tout heureux de se promener dans la rue et de transporter une telle somme d'argent. Il se disait que M. Thompson allait être bien content de la récupérer.

Il jeta un coup d'œil dans les autres boutiques, chez le barbier, à la banque. C'est alors qu'il aperçut l'attelage de M. Thompson, arrêté dans une rue transversale, devant l'atelier de M. Paddock, le charron. Il ouvrit la porte de ce bâtiment long et bas, puis il entra.

M. Paddock et M. Thompson se tenaient près d'un poêle au ventre rond. Leur conversation tournait autour d'un morceau de noyer qu'ils étaient en train d'examiner. Almanzo attendit parce qu'il ne voulait pas les interrompre.

Il faisait chaud dans l'atelier et il y régnait une bonne odeur de copeaux, de cuir et de peinture. Derrière le poêle, deux ouvriers s'employaient à monter un chariot, tandis qu'un autre peignait de fins filets rouges sur les rayons rouges des roues d'un nouveau boghei. Le corps du boghei étincelait fièrement sous une couche de peinture noire. De longues boucles de copeaux s'amoncelaient en piles et toute la pièce était aussi agréable qu'une grange par un jour de pluie. Les compagnons sifflaient, tandis qu'ils mesuraient, établissaient, sciaient ou rabotaient le bois qui sentait si bon.

M. Thompson discutait du prix d'un nouveau chariot. Almanzo eut l'impression que M. Paddock n'appréciait guère M. Thompson, mais qu'il faisait tout pour lui vendre ce chariot. Il en détaillait le prix avec un gros crayon de charpentier et s'efforçait de le convaincre.

— Comprenez-moi bien. Je ne peux baisser davantage le prix, si je veux pouvoir payer mes hommes, disait-il. Je fais tout mon possible, pour vous. Je vous garantis que nous vous ferons un chariot qui vous plaira ou vous n'aurez pas à le prendre.

— Eh bien, peut-être reviendrai-je vous voir, si je ne trouve pas pour moins ailleurs, répondit M. Thompson, d'un ton soupçonneux.

— Je serai toujours heureux d'avoir votre clientèle, dit M. Paddock.

A cet instant, il découvrit Almanzo et lui demanda comment se portait sa truie. Almanzo aimait bien le gros, le jovial M. Paddock, qui lui demandait toujours des nouvelles de Lucy.

— Elle doit peser dans les cent cinquante livres, à présent, répondit Almanzo.

Il se tourna alors vers M. Thompson et lui posa la question qu'il avait préparée :

— Auriez-vous perdu un porte-billets?

M. Thompson sursauta. Il appuya brusquement la main sur sa poche et un hurlement lui échappa :

— Oui, je l'ai perdu! Quinze cents dollars, qu'il contenait. Qu'est-ce qu'il est devenu? Est-ce que tu sais ce qu'il est devenu?

— Est-ce que c'est celui-là? demanda Almanzo.

— Oui, oui, oui, c'est celui-là, répondit M. Thompson, en lui arrachant le porte-billets des mains.

Il l'ouvrit et compta vivement l'argent. Il recompta deux fois tous les billets et en ce faisant, il avait tout à fait l'air d'un homme occupé à écorcher une puce pour en récupérer la peau et le suif.

Il poussa enfin un long soupir de soulagement et s'écria :

— Bon, ce damné garçon n'a rien pris dedans.

Almanzo sentit son visage s'empourprer. Il aurait voulu pouvoir frapper M. Thompson.

M. Thompson fourra sa maigre main dans la poche de son pantalon et y fouilla du bout des doigts, avant d'en extraire quelque chose.

— Tiens, dit-il, en mettant l'objet dans la main d'Almanzo.

C'était une pièce d'un nickel.

Almanzo était tellement en fureur qu'il n'y voyait plus. Il détestait M. Thompson. Il aurait voulu pouvoir lui cogner dessus. M. Thompson l'avait traité de damné garçon, ce qui revenait presque à le traiter de voleur. Almanzo ne voulait pas de son sale nickel. Tout à coup, il sut ce qu'il allait lui répliquer :

— Tenez, dit-il, en lui rendant le nickel. Gardez-le. J' pourrais pas en faire la monnaie.

Le visage étroit et mesquin de M. Thompson s'empourpra. L'un des ouvriers eut un petit rire moqueur. M. Paddock, en colère, fit alors deux pas vers M. Thompson.

— Je ne vous permettrai pas de traiter ce garçon de voleur, Thompson, cria-t-il. Et ça n'est pas non plus un mendiant. C'est comme ça que vous le considérez? Alors qu'il vous rapporte quinze cents dollars! Vous le traitez de voleur, vous lui donnez un nickel, et voilà tout?

350

M. Thompson recula d'un pas, mais M. Paddock se rapprocha de lui. M. Paddock lui agita un poing sous le nez.

— Espèce de misérable grippe-sous! s'indigna-t-il. Pas devant moi, une chose pareille! Pas devant moi! Un bon, un honnête, un brave petit gars comme ça et vous... Pour un *cent,* je vous... Non! Vous allez lui donner un billet de cent, et plus vite que ça! Que dis-je, deux billets de cent! Deux cents dollars ou vous aurez de mes nouvelles!

M. Thompson tenta de protester, de même qu'Almanzo. Mais Paddock gardait les poings fermés et l'on voyait saillir les muscles de ses bras.

— Deux cents! criait-il. Donnez-les-lui, et plus vite que ça! Ou bien vous aurez affaire à moi!

M. Thompson se tassa un peu sur lui-même, tout en surveillant M. Paddock, puis il s'humecta le pouce et compta hâtivement quelques billets. Il les tendit à Almanzo.

Almanzo commença :

— M. Paddock...

— A présent, sortez d'ici. Sortez avant que ça ne devienne malsain pour vous! Allez! coupa M. Paddock.

En un clin d'œil, Almanzo se retrouva là, les billets à la main, tandis que M. Thompson claquait la porte derrière lui.

Almanzo était si excité qu'il se mit à bégayer. Il dit qu'il ne croyait pas que Père allait aimer tout ça. Almanzo éprouvait une impression bizarre en se retrouvant à la tête d'une telle fortune, mais en même temps, il avait bien envie de la garder. M. Paddock lui dit qu'il irait expliquer les choses à Père. Il déroula ses manches de chemise, enfila son manteau et demanda :

— Où est ton père?

Almanzo dut presque courir pour se maintenir à la hauteur de M. Paddock, qui faisait de
grandes enjambées. Il serrait toujours les billets
dans sa main. Père était en train de charger des
paquets dans le tombereau. M. Paddock lui
raconta ce qui venait de se passer.

— Pour un *cent*, je lui aurais envoyé mon
poing dans la figure, tant il avait l'air méprisant,
expliqua M. Paddock, puis l'idée m'est venue
que ce qui le toucherait le plus, ce serait de
donner de l'argent. Et j'ai estimé que l'enfant y
avait bien droit.

— Je ne sais pas si on a droit à quoi que ce
soit lorsqu'on fait tout bonnement preuve
d'honnêteté, objecta Père. Pourtant, je dois
reconnaître que j'apprécie le courage dont vous
avez fait preuve, Paddock.

— Je ne dis pas que l'enfant méritait plus que
de la gratitude, honnêtement exprimée, pour
avoir rendu à Thompson son argent, convint
M. Paddock, mais ce qui dépassait la mesure,
c'était de voir ce garçon recevoir des insultes par-
dessus le marché. Je soutiens qu'Almanzo a
droit à ces deux cents dollars.

— Eh bien, il y a quelque chose de vrai dans
ce que vous dites, reconnut Père.

Il se tourna alors vers Almanzo et décida :

— Parfait, fils, tu peux garder cet argent.

Almanzo défroissa les billets et les fixa : deux

cents dollars! C'était ce que le maquignon avait payé à Père pour l'un de ses chevaux de quatre ans.

— Je vous suis vraiment très obligé, Paddock, d'avoir pris la défense de mon garçon comme vous l'avez fait, conclut Père.

— Eh bien, je peux me permettre de perdre un client de temps à autre, si c'est pour une bonne cause, dit M. Paddock.

Il demanda alors à Almanzo :

— Que vas-tu faire de tout cet argent?

Almanzo regarda Père et lui demanda :

— Est-ce que je pourrais le déposer à la banque?

— C'est le bon endroit pour déposer de l'argent, approuva Père. Eh bien, eh bien, eh bien, deux cents dollars! J'avais le double de ton âge, avant d'en avoir possédé autant.

— Moi aussi. Oui. J'étais même plus âgé que ça, renchérit M. Paddock.

Père et Almanzo se rendirent à la banque. Almanzo pouvait tout juste apercevoir, de l'autre côté du comptoir, le caissier perché sur un grand tabouret, un porte-plume derrière l'oreille. Le caissier se tordit le cou pour regarder Almanzo, puis il demanda à Père :

— Est-ce que je ne ferais pas mieux de déposer ça sur votre compte, monsieur?

— Non, répondit Père. C'est l'argent de

l'enfant. Qu'il s'en occupe lui-même. Il n'apprendra jamais trop tôt.

— Oui, monsieur, dit le caissier.

Almanzo dut écrire deux fois son nom. Le caissier compta ensuite les billets, puis il inscrivit le nom d'Almanzo sur un livret. Il y nota aussi la somme, 200 dollars, puis il tendit le livret à Almanzo.

Almanzo sortit de la banque avec Père et lui demanda :

— Comment est-ce que je pourrai récupérer l'argent?

— Tu le demanderas et ils te le donneront. Mais souviens-toi, fils; aussi longtemps que cet argent restera à la banque, il travaillera pour toi. Chaque dollar à la banque te rapporte quatre *cents* par an. C'est de loin la manière la plus facile de gagner de l'argent. Chaque fois que tu auras envie de dépenser un nickel, prends le temps de réfléchir à la somme de travail qu'il te faudra fournir pour gagner un dollar.

— Oui, Père, dit Almanzo.

Il songeait qu'il avait plus d'argent qu'il ne lui en fallait pour s'offrir un petit poulain. Il pourrait dresser un poulain bien à lui et tout lui apprendre. Père ne le laisserait jamais dresser un des poulains qu'il possédait.

· Cette journée passionnante n'était pourtant pas terminée.

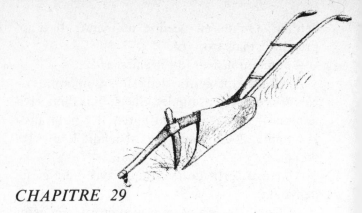

CHAPITRE 29

UN ENFANT
DE LA TERRE

M. Paddock retrouva Almanzo et Père devant la banque. Il dit à Père qu'il lui était revenu quelque chose à l'esprit.

— Je voulais vous en parler depuis quelque temps, poursuivit-il. Au sujet de votre garçon.

Almanzo était surpris.

— Avez-vous jamais pensé à en faire un charron? demanda M. Paddock.

— Eh bien, non, répondit Père, lentement. Je ne peux pas dire que cette idée me soit jamais venue.

— Eh bien, réfléchissez-y, à présent, dit M. Paddock. C'est un métier prometteur, Wilder. Le pays grandit, la population ne cesse de s'accroître. Les gens ont besoin de chariots et de cabriolets. Il leur faut voyager en tous sens. Les chemins de fer ne nous font pas tort. Nous avons sans cesse plus de clients. C'est un beau débouché qui s'offre là à un jeune gars intelligent.

— Oui, convint Père.

— Je n'ai pas de fils, mais vous, vous en avez deux, reprit M. Paddock. Il vous faudra songer à établir Almanzo dans l'existence, d'ici peu. Mettez-le en apprentissage chez moi et je traiterai bien votre garçon. S'il tourne comme je le pense, il n'y a pas de raison, le moment venu, qu'il n'hérite pas de mon affaire. Il sera riche, avec peut-être une cinquantaine d'ouvriers sous ses ordres. Ça vaut la peine d'y réfléchir.

— Oui, approuva Père. Oui, ça vaut la peine d'y penser. Je suis sensible à ce que vous venez de me dire, Paddock.

Père n'ouvrit plus la bouche jusqu'à la maison. Almanzo était assis à côté de lui, sur le siège du tombereau, mais il ne disait rien non plus. Il s'était passé tant de choses que tout lui revenait en désordre à la mémoire.

Il se souvenait des doigts tachés d'encre du caissier, de la mince bouche de M. Thompson, dont les commissures s'abaissaient et se tordaient, des poings de M. Paddock, de l'atelier de carrosserie, où tous s'affairaient, où il faisait chaud, où l'on travaillait dans la bonne humeur. Il songeait que s'il devenait l'apprenti de M. Paddock, il n'aurait plus besoin d'aller à l'école.

Il lui était souvent arrivé d'envier les compagnons de M. Paddock. Leur travail était passionnant. Les minces et longs copeaux s'enlevaient en roulant sous les lames tranchantes des rabots. Les ouvriers effleuraient alors le bois lisse du bout des doigts. Almanzo aimait bien faire ce geste, lui aussi. Il aurait aimé passer de la peinture avec une large brosse, puis faire de fins filets droits avec le petit pinceau pointu qu'ils utilisaient.

Quand un cabriolet était terminé, étincelant sous sa dernière couche de peinture, ou quand un chariot était prêt, chacune de leurs pièces était faite de bon noyer ou de beau chêne, les roues peintes en rouge, la caisse peinte en vert et un petit motif décoratif sur le layon, les charrons pouvaient être fiers de leur travail. Ils faisaient des voitures aussi solides que les traîneaux de Père, mais beaucoup mieux finies.

Almanzo sentit alors le petit livret de banque rigide, qu'il avait glissé dans sa poche. Il se remit à penser à un poulain. Il désirait avoir un

poulain aux pattes fines, aux grands yeux doux
étonnés, qui aurait ressemblé à Starlight. Il
voulait pouvoir tout apprendre à ce petit poulain, comme il l'avait fait avec Star et Bright.

Ainsi Père et Almanzo refirent-ils toute la
route qui les ramenait à la ferme sans rien dire.
L'air était immobile et froid et tous les arbres
semblaient réduits à de simples traits noirs
qu'on aurait dessinés sur la neige et le ciel.

Quand ils arrivèrent, il était l'heure de soigner
les bêtes. Almanzo prit sa part des tâches, mais
il perdit un peu de temps à contempler Starlight.
Il caressa le doux museau velouté, laissa courir
sa main sous la crinière, en suivant la courbe
ferme de la petite encolure. Le poulain mordil-
lait la manche d'Almanzo du bout de ses douces
lèvres.

— Fils, où es-tu? appela Père.

Pris de remords, Almanzo courut traire.
Durant le dîner, il se contenta de manger, tout
en écoutant Mère évoquer ce qui leur était
arrivé. Elle disait qu'elle n'aurait jamais cru...
De toute sa vie!... Elle leur assurait qu'il aurait
suffi d'une simple plume pour la renverser, tant
elle était... Elle ne comprenait pas pourquoi il
était si difficile d'arracher tout ça à Père. Ce
dernier répondait à ses questions, mais tout
comme Almanzo, il se concentrait surtout sur ce
qu'il mangeait.

Mère, enfin, lui demanda :

— Mais enfin, James, qu'est-ce qui te passe par la tête?

Père, alors, lui annonça que M. Paddock souhaitait prendre Almanzo en apprentissage.

Un éclair de surprise passa dans les yeux bruns de Mère et ses joues prirent la teinte de la robe de laine rouge qu'elle portait. Elle reposa son couteau et sa fourchette.

— Je n'ai jamais entendu une chose pareille! s'indigna-t-elle. Eh bien, plus vite M. Paddock s'enlèvera cette idée de la tête, mieux ça vaudra! J'espère que tu lui as dit ce que tu en pensais! J'aimerais bien savoir pour quelles raisons Almanzo devrait s'en aller vivre en ville et se mettre aux ordres de Pierre, Paul et Jacques!

— Paddock gagne bien sa vie, repartit Père. Je crois même qu'en réalité il met plus d'argent, chaque année, à la banque que moi. Il considère que ce serait un bon débouché pour l'enfant.

— Eh bien, protesta Mère, qui ressemblait de plus en plus à une mère poule en colère, les plumes toutes hérissées, où allons-nous, si n'importe qui peut croire que c'est s'élever dans le monde quand on renonce à une bonne ferme pour aller à la ville! Comment gagne-t-il son argent, ce M. Paddock, si ce n'est en pourvoyant aux besoins de clients comme nous? J'imagine que s'il ne faisait pas des chariots pour les fermiers, il ne survivrait pas longtemps!

— C'est assez juste, convint Père, mais...

— Il n'y a pas de mais! coupa Mère. Oh, il est déjà assez pénible de voir Royal s'abaisser à n'avoir d'autre ambition que d'entrer dans le commerce! Peut-être y gagnera-t-il de l'argent, mais il ne sera jamais l'homme que tu es. S'abaisser devant les autres pour gagner sa vie jusqu'à la fin de ses jours... Il ne pourra jamais prétendre que son âme lui appartient.

Un instant, Almanzo se demanda si Mère n'allait pas se mettre à pleurer.

— Là, là, dit Père, d'un ton attristé. Ne prends pas ça trop à cœur. Peut-être que c'est pour le mieux, au fond.

— Je ne supporterai pas de voir Almanzo tourner de la même manière! affirma Mère. Je ne le permettrai pas, tu m'entends?

— J'éprouve le même sentiment que toi, assura Père. Mais c'est notre garçon qui devra décider. La loi nous permet de le garder ici, à la ferme, jusqu'à ce qu'il ait vingt et un ans, mais ça ne servira à rien, s'il veut s'en aller. Non. Si Almanzo ressent les choses comme Royal, nous ferions mieux de le mettre en apprentissage chez Paddock, tant qu'il est encore jeune.

Almanzo continuait à manger. Il écoutait, mais il savourait dans le moindre recoin de sa bouche le goût délicieux du rôti de porc, accompagné de compote de pommes. Il but une longue gorgée de lait froid, puis il poussa un soupir, enfonça sa serviette et tendit la main pour prendre sa part de tourte à la citrouille.

Il coupa la pointe tremblante de citrouille brun doré qu'assombrissaient encore les épices et le sucre caramélisé dont elle était parsemée. Elle lui fondit sur la langue et il sentit le goût épicé lui envahir la bouche, puis lui monter dans le nez.

— Il est trop jeune pour savoir ce qu'il veut faire, objecta Mère.

Almanzo avala une autre grande bouchée de tourte. Il ne pouvait parler tant qu'on ne lui adressait pas la parole, mais il se disait en lui-même qu'il était bien assez grand pour savoir qu'il préférait devenir quelqu'un comme Père, plutôt que comme n'importe qui d'autre. Il ne voulait même pas ressembler à quelqu'un comme M. Paddock. M. Paddock devait faire l'effort de complaire à un homme mesquin comme M. Thompson, s'il ne voulait pas perdre la commande d'un chariot. Père était libre et indépendant; s'il se donnait la peine de faire plaisir à quelqu'un, c'était parce qu'il le voulait bien.

Il se rendit compte, soudain, que Père lui avait parlé. Il avala sa tourte si vite qu'il manqua s'étrangler.

— Oui, Père, dit-il.

Père avait pris un air solennel.

— Fils, reprit-il, tu as entendu que Paddock avait proposé de te prendre comme apprenti?

— Oui, Père.

— Qu'est-ce que tu en dis?

Almanzo ne savait pas très bien que répondre. Il n'avait pas imaginé qu'il aurait son mot à dire. Il lui faudrait faire ce que déciderait Père.

— Eh bien, fils, réfléchis-y, poursuivit Père. Je veux que ce soit toi qui décides. Avec Paddock, tu auras une existence facile, d'une certaine manière. Tu n'auras pas à travailler dehors par tous les temps. Par les nuits froides de l'hiver, tu resteras bien au chaud dans ton lit, sans avoir à t'inquiéter du jeune bétail, qui risque de prendre froid. Qu'il pleuve ou qu'il fasse soleil, qu'il vente ou qu'il neige, tu seras à l'abri. Tu seras enfermé entre quatre murs. Tu auras sans doute toujours plus qu'assez pour manger, pour te vêtir et tu mettras même de l'argent à la banque.

— James! interrompit Mère.

— C'est la vérité et nous ne devons pas la lui cacher, insista-t-il. Mais il y a aussi un revers, Almanzo. A la ville, tu dépendras des autres, fils. Tout ce que tu auras, tu le devras aux autres.

« Un fermier ne dépend que de lui-même, de sa terre et du temps. Quand on est fermier, on fait pousser ce que l'on mange, on fait pousser ou l'on élève ce que l'on porte et l'on se chauffe avec son bois. On travaille dur, mais on travaille comme on l'entend. Personne ne vient vous ordonner de faire ci ou ça. Tu seras libre et indépendant, fils, si tu demeures un enfant de la terre. »

Almanzo se tortilla. Père le regardait, ainsi que Mère, avec trop de fixité. Almanzo ne voulait pas vivre entre quatre murs, non plus que se montrer courtois envers des gens qui ne lui plaisaient pas ou ne plus posséder de chevaux, de vaches et de champs. Il voulait mener la même existence que Père. Mais il ne savait comment exprimer tout cela.

— Prends ton temps, fils. Réfléchis bien, dit encore Père. Décide toi-même ce qui te plaira.

— Père! s'exclama Almanzo.

364

— Oui, fils?

— Est-ce que je peux? Est-ce que je peux vraiment te dire ce que je veux?

— Oui, fils, l'encouragea Père.

— Je veux un poulain, dit Almanzo. Est-ce que je pourrai acheter un poulain bien à moi avec une partie de ces deux cents dollars et est-ce que tu me laisseras le dresser?

La barbe de Père se fendit lentement, tandis qu'un sourire se dessinait sur ses lèvres. Il reposa sa serviette, se renversa en arrière et jeta un regard à Mère. Puis il se tourna vers Almanzo et lui dit :

— Fils, laisse donc cet argent à la banque.

Almanzo eut l'impression que tout en lui s'effondrait. Puis, presque aussitôt, le monde lui parut s'emplir d'une grande, d'une étincelante, d'une chaude lumière, qui le baignait tout entier.

Père poursuivait en ces termes :

— Si c'est un poulain que tu désires, je te donnerai Starlight.

— Père! dit Almanzo, d'une voix entrecoupée. Pour moi tout seul?

— Oui, fils. Tu pourras le dresser, l'atteler et quand il aura quatre ans, tu pourras le vendre ou le garder, comme tu voudras. Nous le dirigerons à la longe dès la première heure, demain matin, et tu pourras commencer à le rendre docile.

TABLE DES MATIÈRES

CASTOR PLUS

POURQUOI CASTOR PLUS ?

Parce que les auteurs ont leur mot à dire sur ce qu'ils écrivent.

Parce que nous, éditeurs de littérature jeunesse, sommes soucieux d'enrichir nos ouvrages.

Parce que vous, lecteurs, êtes en droit d'attendre de nos livres toujours plus d'informations.

Avec Castor Plus, nous ne prétendons pas être exhaustifs sur un sujet, ni sur un genre, mais nous avons l'ambition de vous faire partager notre passion de la littérature sous toutes ses formes.

C'est pourquoi, avec Castor Plus, nous avons choisi de donner la parole à des écrivains, des spécialistes, pour qu'ils commentent un genre qu'ils apprécient, dont ils connaissent les spécificités et les chefs-d'œuvre, ceux d'hier, et ceux d'aujourd'hui.

Le roman pour la jeunesse

«Toute lecture digne de ce nom se doit d'être absorbante et voluptueuse. Nous devons dévorer le livre que nous lisons, être captivés par lui, arrachés à nous-mêmes, emportés dans un tourbillon d'images animées, comme brassées dans un kaléidoscope.» Ainsi parle Robert Louis Stevenson, l'auteur de *L'Île au trésor*, du plaisir d'une lecture romanesque. Avec lui, laissons-nous entraîner dans les délicieux chemins de la fiction : pur plaisir d'être ici et ailleurs, dans les grands bois du Wisconsin, sur les routes américaines avec les enfants Tillerman, survolant la Norvège avec Nils Holgersson ou pénétrant tout simplement dans l'univers d'un enfant de notre âge et de notre pays, si proche et pourtant autre.

Si le romancier «promène un miroir sur une grande route» selon la formule de Stendhal, il nous renvoie aussi un miroir de nos propres sentiments parfois si confus, de nos émotions contenues, il sait nous éclairer sur nos craintes et nos doutes, donner forme à l'informe de la vie. Il nous parle, comme naguère le faisaient les contes de manière plus symbolique, des difficiles relations familiales, de l'amour, de l'amitié, de la mort aussi et le roman se fait alors roman d'initiation.

Mais il peut aussi nous faire rire, nous communiquer cet humour si indispensable pour appréhender plus sereinement le monde et nos propres difficultés.

Promenons-nous « dans les bois du roman », comme le proposait Umberto Eco. Le champ des productions romanesques est aujourd'hui immense. Il n'en a pas toujours été ainsi.

Le premier « roman » écrit pour un enfant – royal, certes ! – fut *Les Aventures de Télémaque* de Fénelon, roman didactique publié en 1699, inspiré des voyages d'Ulysse, destiné à enseigner morale et mythologie mais déjà roman d'aventure et d'initiation. Le XVIIIe siècle vit fleurir à côté de toute une littérature pédagogique et morale, l'adaptation de grands romans philosophiques destinés aux adultes : *Les Voyages de Gulliver*, de Jonathan Swift ou le *Robinson Crusoé* de Daniel Defoe (objet de multiples adaptations, au cours des siècles suivants).

Mais c'est le XIXe qui vit vraiment naître une littérature romanesque destinée à la jeunesse. Dès 1830 Charles Desnoyers invente dans *Les Mésaventures de Jean-Paul Choppart*, le premier garnement révolté et fugueur. À partir de 1850, dans la Bibliothèque rose, paraissent les romans de la Comtesse de Ségur, évocation d'un monde clos de l'enfance, cependant que se déploie en Angleterre la fantaisie de l'imaginaire avec *Alice au pays des merveilles* de Lewis Carroll, et l'éternel enfant de James Barrie qu'est *Peter Pan*. La fin du siècle voit le succès du roman de l'errance et de l'orphelin avec *Sans famille* d'Hector Malot ainsi que les grandes aventures utopiques de Jules Vernes.

Si le XIXe siècle peut être considéré comme l'âge d'or de la littérature enfantine, dont on publie régulièrement les classiques, certains ouvrages, certains auteurs jalonnent la création romanesque française du XXe siècle destinée aux enfants, et trouvent toujours leurs lecteurs. C'est bien sûr la fable morale du *Petit Prince* de Saint-Exupéry, publié à New York en 1943, l'humour et la satire des *Contes* de Marcel Aymé ou de Gripari, les gags irrésistibles, et le langage enfantin du *Petit Nicolas* de Sempé et Goscinny en 1960. C'est aussi le roman de la vie quotidienne qu'est *La Maison des petits bonheurs* de Colette Vivier (en 1939) ou encore les premières incursions dans un véritable roman policier (loin des séries stéréotypées) avec *Le Cheval sans tête* de Paul Berna (en 1955).

En 1970, la Bibliothèque internationale ouvre le champ des littératures étrangères, offrant ainsi aux lecteurs une initiation à la diversité des cultures et des imaginaires. Depuis sa création en 1980, Castor Poche-Flammarion a largement contribué à cette découverte d'auteurs et de cultures du monde entier en publiant, outre de grands succès de la littérature anglaise et américaine (le merveilleux *Jardin secret* de Frances Hodgson Burnett, *Jonathan Livingston le goéland* de Richard Bach, les romans de James Houston, Betsy Byars, Marilyn Sachs ou Cynthia Voigt), des auteurs allemands comme Hans Baumann, polonais comme Wanda Chotomska *(L'arbre à voile)* ou espagnols comme Carmen Martin Gaite *(Le petit chaperon rouge à Manhattan)*...

Les frontières se sont estompées entre littérature générale et littérature de jeunesse ; des auteurs reconnus s'inscrivent dans les deux registres : Michel Tournier, Daniel Pennac, J.M.G Le Clézio, pour n'en citer que quelques-uns. Seule la poétique diffère, écrit Pennac, la thématique peut être la même.

Depuis les années quatre-vingt, la création romanesque aborde en effet des genres et des thèmes jusqu'alors «réservés». Si l'humour et l'aventure sont toujours de mise, le roman historique évoque les conflits et les drames de notre temps ; romans policiers et romans noirs adoptent les recettes et les ressorts de la littérature adulte ; les intrigues des romans psychologiques s'inscrivent sur fond de secrets de famille et bousculent à l'occasion les tabous.

Sans doute le monde contemporain, ses angoisses et ses culpabilités se sont-ils introduits dans la fiction romanesque adressée à la jeunesse mais la qualité spécifique de ces textes réside toujours dans un certain mode d'écriture, une voix qui sait raconter, émouvoir sans troubler ni désespérer, et nous initier à la merveilleuse aventure de la lecture. Écoutons encore Stevenson : « Les mots, si le livre nous parle, doivent continuer à résonner à nos oreilles comme le tumulte des vagues sur le récif, et l'histoire repasser sous nos yeux en milliers d'images colorés. »

Flaubert (qui n'écrivait pas du tout pour les enfants) prêtait une couleur à chacun de ses romans. N'y aurait-il pas une couleur propre aux romans écrits pour la jeunesse ? À nous de la découvrir, de la savourer.

Claude Hubert-Ganiayre

Castor Poche

Des livres pour toutes les envies de lire,
envie de rire, de frissonner,
envie de partir loin
ou de se pelotonner dans un coin.

Des livres pour ceux qui dévorent.
Des livres pour ceux qui grignotent.
Des livres pour ceux qui croient ne pas aimer lire.
Des livres pour ouvrir l'appétit de lire et de grandir.

Castor Poche rassemble des textes du monde entier ; des récits qui parlent de vous mais aussi d'ailleurs, de pays lointains ou plus proches, de cultures différentes ; des romans, des récits, des témoignages, des documents écrits avec passion par des auteurs qui aiment la vie, qui défendent et respectent les différences. Des livres qui abordent les questions que vous vous posez.

Les auteurs, les illustrateurs, les traducteurs vous invitent à communiquer, à correspondre avec eux.

Castor Poche
Atelier du Père Castor
4, rue Casimir-Delavigne
75006 PARIS

Castor Poche, des livres pour toutes les envies de lire: pour ceux qui aiment les histoires d'hier et d'aujourd'hui, ici, mais aussi dans d'autres pays, voici une sélection de romans.

721 **Prends garde aux dragons !** Junior
par Norbert Landa

Le roi et la reine partis en Italie, le petit prince Léo est seul au château. Il tombe sur un œuf de dragon. Que faire ? Le conserver ou le cuisiner ? Mais est-ce que c'est bon, une omelette de dragon ?

720 **À vos marques !** Senior
par Michel Amelin

C'est reparti ! Dès le début de l'automne, la mère de Gontran est obsédée par le port de l'écharpe obligatoire ! Quelle horreur, surtout quand la dite écharpe a déjà été usée par des générations, depuis le frère aîné de l'arrière-grand-père de Gontran... Il aimerait tellement frimer avec des vêtements de marque, comme tant de ses copains !

718 **La vengeance du vampire** Junior
par Willis Hall

Dur, dur d'être vampire de nos jours, surtout vampire végétarien ! Rejeté pour les crimes de ses aïeux Dracula, le gentil Alucard voudrait tant qu'on l'aime ! Va-t-il trouver en Amérique le coin tranquille de ses rêves, où vivre en paix entouré d'amis ? Ce serait compter sans un ambitieux producteur de films d'horreur, un shérif du Kansas et un étrange homard géant...

717 **Nabab le héros**   **Junior**
par Adèle Geras

Nabab est un chat que rien n'arrête. Or voici que la jungle d'à-côté redevient jardin civilisé. Et la nouvelle voisine ne veut pas de chat sur ses terres ! Nabab reculera-t-il devant un balai ?

716 **Popeline a disparu**   **Junior**
par Adèle Geras

Popeline a été abandonnée toute jeune et a tant besoin d'être aimée ! Le jour où « sa » famille s'agrandit d'un nouveau-né, elle fait de son mieux pour l'accueillir à sa façon. Mais ses initiatives sont comprises tout de travers ! Popeline décide de fuguer…

715 **Signé : Fouji**   **Junior**
par Adèle Geras

Fouji est le doyen des chats du square Édouard. Il ferait n'importe quoi pour « sa petite humaine » – sauf poser pour un portrait, sans bouger pendant un temps fou ! Pour échapper à la corvée, Fouji est prêt à tout… les résultats seront surprenants !

714 **La revanche de Mimosa**   **Junior**
par Adèle Geras

Toute ronde et d'un âge respectable, Mimosa est une chatte heureuse… jusqu'au jour où « sa » famille reçoit pour les vacances une petite humaine, une véritable peste de six ans. La vie de Mimosa devient un enfer ! Il faut chasser la visiteuse !

713 **Jaguars**   **Senior**
par Roland Smith

À peine de retour du Kenya, le père de Jake se lance dans un nouveau projet. Cette fois, il s'agit de créer une réserve de jaguars en Amazonie. Jake rejoint l'expédition pour les vacances. Mais la semaine a tôt fait de se transformer en une véritable épopée, et Jake en pilote virtuose d'U.L.M !

712 **L'élan bleu**   **Junior**
par Daniel Pinkwater

Monsieur Breton se sent bien seul, dans son restaurant du bout du monde… Mais lorsqu'il rencontre l'élan bleu, tout va mieux! Les clients se bousculent, sa soupe aux chipirons fait un carton, et, surtout, il a de vrais amis. Jusqu'au jour où l'élan bleu décide d'écrire un livre.

711 **La Bande Sans Nom**   **Senior**
par Guido Petter

Été 1944. Dans un petit village italien, des gamins rêvent d'aventures et de combats, et créent la Bande Sans Nom. Ils engagent bientôt les hostilités avec les Têtes de fer, tandis qu'au loin résonnent les coups de feu d'une autre guerre, bien réelle. Dans les montagnes, les partisans défendent la zone libre contre les milices fascistes. Pour la Bande Sans Nom, c'est le moment où jamais de faire preuve de courage…

710 **L'assassin du Nil**   **Senior**
par Alain Surget

Depuis qu'il a accompli trois exploits mémorables avec sa jeune amie Thouyi, Menî a été reconnu digne de succéder à son père sur le trône d'Égypte. Mais le jour de la cérémonie, un ambassadeur est assassiné dans le palais. Pour éviter la guerre avec le royaume de Basse-Égypte, Menî doit se rendre jusqu'à Bouto, par le Nil…

709 **Cette nuit, on embarque**   **Senior**
par Frances Temple

À Belle Fleuve, en Haïti, les tontons macoutes règnent dans la terreur. Paulie fait partie des quelques habitants qui résistent, tenaillés par la peur et la faim. Face à l'injustice et à la violence, il ne reste plus que la fuite.

707 **C'est ici, mon pays!**   **Senior**
par Cécile Gagnon

Au Québec, au milieu du XIXe siècle, de nombreux pionniers s'en vont tenter l'aventure dans des régions inconnues. Georgina n'est qu'une enfant quand elle part avec sa famille pour le lac Saint-Jean. Une vie nouvelle l'y attend, dans une nature souvent hostile, auprès du peuple indien, sauvage et fascinant....

706 **Joyeux anniversaire**   **Junior**
par Jacques Poustis

Pour l'anniversaire de Oualid, Pattenbois a préparé une tirelire. Mais sur l'Île merveilleuse, l'argent n'existe pas. Jusqu'au jour où les élèves de Pattenbois découvrent un incroyable trésor, et inventent une nouvelle monnaie... le macao !

705 **Le fils du garçon boucher**   **Senior**
par Jacques Delval

Juste avant la mort de son père – le boucher du bourg – Gérard apprend qu'il est un enfant bâtard. Le jour de l'enterrement, il s'enfuit. Malgré son jeune âge, et la guerre, Gérard rejoint l'Afrique de ses livres, le pays de ses rêves.

704 **Une grenade dans le crâne**　　　　　　　**Senior**
par Stéphane Marchand

Être traité comme un militaire, à quatorze ans, c'est le sort du
"soldat Lucas". Ancien combattant du Viêt-nam, son père a conservé
de la guerre un terrible autoritarisme, qu'on dit dû à des éclats
de grenade, fichés dans son crâne. Orphelin de mère, Lucas saura-
t-il un jour ce qu'est un père aimant ?

700 **Burton et Stanley**　　　　　　　**Junior**
par Frank O'Rourke

Deux marabouts d'Afrique perchés sur le toît d'une gare d'Amérique,
ça n'existe pas ! Deux marabouts parlant le morse avec le chef de
la station, ça n'existe pas ! Mais quand les deux marabouts s'ap-
pellent Burton et Stanley et que tout se passe à Cherrygrove,
U.S.A., pourquoi pas ?!!

699 **En haut, la liberté**　　　　　　　**Senior**
par Daniel Vaxelaire

Petit-Jacques vit au Domaine, soumis aux rudes lois de Sansquartier,
le contremaître. Comprenant que son frère et sa fiancée vont s'enfuir, il décide de les suivre. Tous trois deviennent des Noirs « mar-
rons », comme on appelle à La Réunion les esclaves fugitifs. Mais
une fois dans la forêt, comment survivre et gagner la liberté ?

693 **Chipies !**　　　　　　　**Senior**
par Cynthia Voigt

L'une joue au foot, l'autre pas. L'une est brouillon, l'autre méti-
culeuse. L'une est agressive, l'autre douce... à première vue, du
moins ! Un jour de rentrée, l'ordre alphabétique les rapproche.
Font-elles la paire ? Et, si oui, quelle paire ? Une chose est sûre :
avec ces deux-là, la salle de classe tourne au champ de mines !

692 **Une jument dans la tempête**   Junior
par Irene Morck

Ambrose est certain d'avoir fait une erreur. Pourquoi a-t-il acheté Mondaine, une vieille jument de vingt-cinq ans ? Pour ses randonnées en montagne, il a besoin d'une bête forte et résistante ! Heureusement, Mondaine est courageuse, et saura prouver à son maître qu'il est bon de faire confiance à son cœur…

691 **La promesse**   Senior
par Yaël Hassan

« Je m'appelle Sarah Weiss. L'histoire que je vais vous conter, je la porte en moi depuis fort longtemps. » Une petite fille juive raconte les tourments de la guerre et de l'occupation. Pour Sarah, l'espoir réside dans cette promesse insensée donnée jadis à son grand-père : celle de trouver un jour une terre d'accueil, un pays, un chez-soi…

690 **Lettres secrètes**   Senior
par Marie-Hélène Delval

« Cher Nicolas… » Ces deux mots font vivre Mathilde, la font sourire et pleurer, rêver et desespérer. Tous les jours, elle écrit à l'élu de son cœur, mais ne lui envoie pas ses lettres. Cette correspondance secrète, douloureuse parfois, est surtout un premier pas dans l'amour…

689 **Babe Le cochon dans la ville**   Junior
par Justine Korman et Ron Fontes

Sauver la ferme ! Telle est la mission de Babe après le grave accident de son fermier, M. Hoggett. Pour payer les banquiers, une seule solution : Babe doit gagner le concours de la foire agricole. Mais qu'il est difficile de se repérer dans une grande ville ! Heureusement, Babe n'est pas un cochon ordinaire…

Cet
ouvrage,
le cent
quarante-sixième
de la collection
CASTOR POCHE,
a été achevé d'imprimer
sur les presses de l'imprimerie
Maury Eurolivres
Manchecourt - France
en décembre 1999

Dépôt légal : janvier 2000.
N° d'édition : 4708. Imprimé en France.
ISBN : 2-08-164708-7
ISSN : 0763-4544
Loi n° 49-956 du 16 juillet 1949
sur les publications destinées à la jeunesse